Екатерина **Вильмонт**

Цыц!

роман-пустячок

АСТ • Астрель

Москва

УДК 821.161.1
ББК 84 (2Рос=Рус)6
    В46

Подписано в печать 19.06.08 г. Формат 84x108/ 32. Усл. печ. л. 11,97.
С: ПС. Вильмонт. Тираж 50 000 экз. Заказ № 1605.

Общероссийский классификатор продукции
ОК-005-93, том 2, 953000 — книги, брошюры
Санитарно-эпидемиологическое заключение
№ 77.99.60.953.Д.007027.06.07 от 20.06.2007 г.

Вильмонт, Е. Н.

В46   Цыц! [роман-пустячок]/ Екатерина Вильмонт. —
М.: Астрель: АСТ, 2008. — 285, [3] с. — (ПС: Вильмонт)

ISBN 978-5-17-055026-5 (АСТ)
ISBN 978-5-271-21844-6 (Астрель)

Оформление обложки дизайн-студия *«Дикобраз»*

УДК 821.161.1
ББК 84 (2Рос=Рус)6

© *ООО «Издательство Астрель», 2008*

Из подъезда ЗАГСа вышли мужчина и женщина. Моросил мелкий дождь.

— Ну пока, — бросил мужчина, поднял воротник плаща и взглянул на часы.

— Счастливо тебе! — тихо ответила женщина и полезла в сумку за зонтиком. Зонтик был красивый, красный в редкий черный горох. Она спустилась с крыльца. Но тут, обдав ее брызгами, на полной скорости подкатила ярко-алая спортивная машина. Женщина под зонтиком оглянулась. Из машины выскочила блондинка лет двадцати и кинулась на шею мужчине.

— Денис! Какое счастье!

— Зачем ты выскочила, льет же! — радостно засмеялся он и покосился в сторону женщины под зонтиком.

Та отвернулась и прибавила шаг. Как банально, подумала она. Юная блондинка в красном авто. Почему-то в сериалах роковые разлучницы обычно именно такие — блондинки в красных авто, и лишь в сериалах, которые снимают в Киеве, авто, как правило, ярко-желтые. Ну что ж, все правильно. Мы с ним не пара. И хорошо, что развелись. Слава Богу, без дрязг и грязи. Он просто ушел. И Бог с ним, а я начну новую жизнь. Без него. Завтра вечером уеду к маме в Питер.

И тут зазвонил мобильник. Мама!

— Мамочка, все!

— Поздравляю, Лилёнок! Поверь моему опыту, развод это трамплин, а вовсе не горе! Ты билет взяла?

— Конечно. Я приеду завтра вечером.

— Лилёнок, но вечером я не смогу тебя встретить, у меня же спектакль. И Мироныч в отъезде. Впрочем, я что-нибудь придумаю.

— Мамочка, не надо ничего придумывать, я просто возьму такси.

— Ерунда, я все устрою, тебя встретят. Скажи, все прошло спокойно?

— К счастью, да.

— Ну и прекрасно, а завтра вечером мы с тобой наговоримся! Все, Лилёнок, я тебя целую, надо бежать, съемка!

Поразительный человек мама, с улыбкой думала Лиля. Развод — трамплин! Три развода и все легко и без истерик. А отца у Лили не было.

То есть, кто-то ее, разумеется, зачал, но когда она спросила о нем у мамы впервые, лет в пять, мама пробормотала, что он уехал в Америку. Лиля почему-то не поверила и спросила у бабушки. Та пожала плечами и сказала странную фразу: «Он вольная птица». Лиле представилось, что ее отец это орел, которого она видела в горах, когда ездила с бабушкой на Кавказ. Второй раз она задала матери этот вопрос перед своим замужеством. Подумала, может, теперь уж мать скажет. А та глянула на нее своими прекрасными глазами нефритового цвета, засмеялась и проговорила:

— Лилёнок, ей Богу не знаю, их было двое, но обоих уже нет в живых, не все ли тебе равно? А вот что гораздо важнее, моя девочка, знать накануне свадьбы: твой муж обязательно будет тебе изменять. Обязательно! Будь к этому готова. И, при случае, тоже изменяй ему. Только без истерик, и тогда ваш брак будет вполне гармоничным. Поверь своей маме, у меня большой жизненный опыт.

Думать о маме была куда приятнее, чем о бывшем муже.

Едва войдя в квартиру, Лиля поняла — надо немедленно заняться уборкой, чтобы, когда она вернется из Питера, ничто не напоминало о се-

мейной жизни. Легко сказать! И все-таки...
Она переоделась и взялась за уборку. Вещи
свои Денис забрал, но какие-то мелочи все-таки
попадались. Два белых носовых платка, из-за
которых он вечно к ней придирался. Не так погладила, не так накрахмалила. О, с каким на-
слаждением она выкинула эти платки в мусорное ведро! Туда им и дорога, так же как и набо-
ру щеток и мазей для обуви. Он вечно возился
со своими туфлями, доводя их до невероятного
блеска. Лилю всегда удивляло, как, даже в са-
мую грязь, его ботинки оставались чистыми.
Тьфу! Он еще может заявиться за этим добром,
а я скажу, что выкинула все к чертям собачьим!
А вот и футболка, которую я привезла ему из
Германии, красивая, дорогая. Дольче и Габанна.
Интересно, он забыл ее или нарочно оставил?
А впрочем, футболку я и сама могу носить, она
такая клёвая! И вспоминать его в связи с ней не
буду, он ведь ни разу ее так и не надел. Лиля
примерила футболку. Она была ей велика, но
выглядела классно. Даже, можно сказать, эле-
гантно. И ничто в душе не шелохнулось. Отлично! Она сняла футболку, аккуратно повесила на
плечики. В ванной обнаружилась бритва-жил-
летт, в помойку! Флакончик с остатками муж-
ского одеколона. Туда же! Вскоре набралось це-
лое ведро. Лиля решила сразу отнести его в му-

соропровод. Поднялась по лестнице на пролет и по привычке глянула в окно. К подъезду сломя голову несся какой-то мужик. Вот оглашенный, подумала она, и тут же увидела двух типов, которые, видимо, гнались за ним. Как в кино! Они растерянно огляделись, видимо не заметили, куда он скрылся. Переглянулись, и один бросился к соседнему подъезду, а второй вбежал вслед за парнем.

Лиля прислушалась. Кто-то мчался вверх по лестнице. Лиле стало не по себе. Она быстро выкинула мусор и вбежала к себе в квартиру. И чуть не завопила от страха. В прихожей стоял беглец, бледный, с капельками пота на лбу и прижимал палец к губам. От страха она совершенно растерялась. А он захлопнул дверь.

— Ради Бога, не бойтесь, я не причиню вам вреда, только пережду... Простите, у вас была открыта дверь, и я решил, что это судьба.

— А кто эти люди? Менты? — прошептала она.

— Нет. Бандиты.

— А вы кто?

— Просто человек. Я скоро уйду, не волнуйтесь.

Как в кино, опять подумала Лиля.

И тут в дверь позвонили. Незнакомец побледнел.

— Не открывайте!

Но Лиля знала по сериалам, что надо делать. Она указала на стенной шкаф. Он залез туда. Она открыла дверь.

Там стоял один из преследователей.

— Здрасте, девушка. Извините, к вам сейчас никто не заходил?

— Кто? — прикинулась дурочкой Лиля.

— У вас только что захлопнулась дверь.

— И что? Я ходила в мусоропровод. — И рукой в желтой резиновой перчатке она указала на пустое мусорное ведро. — А вы по какому праву спрашиваете?

— Так я это... из милиции.

— А удостоверение у вас есть?

— Есть, а как же. — И он вытащил из кармана красные корочки. Но он не на такую напал. Она знала, как настоящие менты держат этот документ.

— Так что вы от меня хотите? Кого вы ищете?

— Кого? Преступника, девушка. Он вбежал в ваш подъезд, а у вас хлопнула дверь.

— Это такой в клетчатой рубашке?

— Точно! Вы его видели?

— Да! Он побежал мимо меня наверх, я чуть ведро не уронила. Так что здесь вы только время теряете, товарищ капитан. Скажите, он что, бандит?

Но «капитан» ее уже не слушал. Он кинулся вверх по лестнице. Ай да Лилька! — сказала она про себя. Вот это приключение! И она с торжеством захлопнула дверь. Молча открыла шкаф.

— Ну, вы даете! — едва слышно выдохнул он. — Я уж решил. что вы меня сдадите. Ну и присутствие духа у вас!

— Присутствие духа? Вы что, книжки читаете?

— Представьте себе, случается.

— Ой, мамочки, у вас кровь! — ахнула она. — Вы ранены? В вас стреляли?

— Никто в меня не стрелял, а это так, ножичком полоснули. А я и не заметил. Да пустяки, царапина.

— Ничего себе царапина! Снимайте рубашку, надо промыть!

— Чем? — побледнел он.

— Водкой. Или нет, лучше бальзамом Биттнера.

— А это не больно?

— Обалдеть! Его ножом полоснули, он и не заметил, а бальзамом Биттнера смазать — страшно?

— А помните у Д'Артаньяна был какой-то, кажется, матушкин бальзам?

— Надо же! Да, помню! Думаю, у старика Биттнера бальзам не хуже.

Он стал снимать рубашку.

— Ах черт, присохло!

Царапина на предплечье была длинной, но неглубокой. Потекла кровь. Он опять побледнел.

— Сядьте. Успокойтесь. Сейчас все сделаю.

А у него роскошный торс, подумала Лиля. Она осторожно промокнула кровь ваткой, смоченной в бальзаме.

— Ой, щиплет!

— Потерпите, неженка! Так, а теперь йод!

— Нет, только не йод, лучше пластырь.

— И вам не стыдно?

— Ни капельки. А у вас нежные руки. И красивые.

— Цыц!

— Понял. Молчу. Послушайте, как вас зовут?

— А вам зачем?

— Надо ж знать, за кого свечку ставить.

— Помолчать можете?

— Нет, это у меня нервное.

— Ну вот и все. А вы боялись.

— А чем это вы мне руку заклеили?

— Это липкий бинт. Он лучше пластыря. По крайней мере пропускает воздух. Ой, а что если...

— Что?

— А вдруг они вас найдут по пятнам крови? Они видели, что ранили вас?

— А черт их знает.

— Вот что... Сидите тут тихо, а я выйду погляжу.

— Бросьте, это ерунда.

— Ничего не ерунда.

Она осторожно выглянула на площадку. Никого. Прислушалась. Тихо, только из соседней квартиры доносятся звуки виолончели. Никаких следов крови ни на площадке, ни на лестнице не было. Она облегченно вздохнула.

— Слава Богу, все чисто, — шепотом доложила она.

— А вы храбрая.

— Да нет, просто смотрю много сериалов.

— А при чем тут сериалы? — поразился он.

— Там такие истории часто случаются.

— Да ладно вам. И все-таки, как вас зовут?

— Лилия Андреевна.

— А меня просто Артем. Спасибо вам, Лиля. Я, пожалуй, пойду.

— Куда?

— Домой, переодеться надо и вообще.

— Как глупо.

— Почему?

— Да потому что они первым делом заявятся к вам домой.

— Да нет, они же не знают, кто я такой. Просто вышла потасовка, случайно, я вступился за девушку, ну и...

— А если они вас ждут во дворе?

— Да, возможно, но вряд ли долго будут ждать.

— А вот я сейчас посмотрю.

Она опять поднялась к мусоропроводу.

Во дворе никого подозрительного не было видно.

— Сидят, ждут на лавочке, — соврала она. Ей было жаль отпускать его. Он ей понравился.

— Черт!

— Вы куда-то спешите?

— Да нет уже, я всюду опоздал. Лиля, я вас не задерживаю?

— Нет. Я никуда не спешу. Да, кстати, вы, наверное, голодны, у меня от волнения всегда зверский аппетит.

— Да, пожалуй, я не откажусь от бутерброда.

— Ну зачем такой минимализм? У меня есть обед.

— Вы замужем?

— Уже нет! Сегодня развелась.

— Он, конечно, был монстр?

— Да нет... Ой, знаете, я только сейчас сообразила, что впредь можно не готовить обед! Вот дура я, мы уже два месяца жили врозь, а я все равно готовила эти идиотские обеды. Нет, меня мало выпороть! Дура! Идиотка!

— Перестаньте себя ругать! Я очень рад вашей глупости! Так вкусно пахнет!

— Сейчас-сейчас, я накрою стол...

Он смотрел на нее с удовольствием. Какая милая, нежная, храбрая и на кого-то мучительно похожая... И ситуация до ужаса романтическая.

— Лиля, а можно мне руки помыть?

— Да-да, конечно. И, кстати, снимайте вашу рубашку, в таком виде нельзя на люди... Вот, наденьте.

И она протянула ему футболку «Дольче и Габанна».

— Но она же новая...

— И что?

— Ну неудобно...

— Очень даже удобно. Не мне же в ней ходить. Это вам приз за то, что отвлекли меня от всяких дурацких мыслей после развода.

— Ну вот еще! Вторгся к одинокой женщине, да еще и приз за это...

— Все бабы дуры! — засмеялась она. — И не надо на меня так смотреть. С меня достаточно вашего спасибо. И я вовсе не одинока...

— Понял. Но, Лиля, согласитесь, есть что-то символическое в нашей встрече именно в этот день, когда вы... освободились...

Разумеется, она тоже так считала, но боялась... Отчаянно боялась влюбиться в него.

Он ушел в ванную и вскоре вернулся в новой футболке. Ах, как она на нем сидела! Он выглядел так сексуально, что у нее зазвенело в ушах. Лилька, держись, в конце концов он просто первый встречный и вовсе неизвестно, может, он как раз бандит. Почему у каких-то уличных хулиганов милицейские корочки? Может, это и впрямь была милиция? Хотя вряд ли милиционеры бегают с ножичками...

Вероятно, все ее мысли отразились на лице, потому что он вдруг улыбнулся широко — ужас, до чего обаятельная улыбка! — и сказал:

— Честное слово, Лилечка, я не бандит, не брачный аферист, а эти типы не менты!

— Ладно, садитесь. Ешьте.

— Ох, как вкусно!

На нее вдруг навалилась усталость. С ней так бывает. И тогда ей необходимо прилечь хоть на десять минут.

— Простите, пожалуйста. Вы тут ешьте, возьмите там бефстроганов, картошку, пейте чай, а мне необходимо минут десять полежать. У меня так бывает.

— Да-да, разумеется.

Она пошла к себе в комнату, прилегла и мгновенно провалилась в сон.

Когда через полчаса она вышла на кухню, со стола все было убрано, посуда помыта. А его не было.

— Артем! — испуганно крикнула она.

— Я здесь! Лиля, кто эта женщина на портрете?

— Это моя мама!

— Полина ваша мать? — потрясенно спросил он.

— Вы знаете маму? — удивилась она. Хотя чему удивляться, ее маму знает чуть ли не вся страна.

— Да. Как причудливо иной раз шутит жизнь. Знаете что, Лиля, я сейчас вызову такси и даже если эти придурки там дежурят, за машиной они не угонятся. Я и так отнял у вас слишком много времени.

Его тон неуловимо изменился. И она не стала возражать. Она сразу поняла — он наверняка был любовником ее матери.

А он опять словно прочитал ее мысли, а на самом деле просто увидел как потухли ее глаза.

— Лиля, поверьте, я просто знаком с вашей мамой, не более того. У нас есть общие друзья. Но я и предположить не мог, что у нее такая взрослая прелестная дочь.

Она хотела что-то сказать, но он не дал ей.

— А Полиной я назвал ее потому, что ваша мама не любит, когда ее называют по имени-отчеству. В отличие от вас, по-видимому. Вы сразу представились Лилией Андреевной.

— Да, меня раздражает эта нынешняя манера всех звать без отчества, несмотря на возраст. Мы же в России живем, так почему надо отказываться от отчества? — быстро заговорила она, чтобы скрыть смущение. Он слишком явно демонстрировал свою проницательность.

Он тем временем пытался вызвать такси.

— Черт знает что, в ближайшее время не обещают. Пробки, черт бы их побрал.

— Да сидите, кто вас гонит? Хотите кофе?

— Я смотрю у вас хорошая кофеварка. Если можно.

— Можно, я же сама предложила.

Тут позвонили в дверь. Лиля удивилась. Звонок был знакомый. Так всегда звонил ее муж. Что бы это значило?

Артем вопросительно взглянул на нее.

— Это ко мне, — сказала она. И все же спросила: — Кто там?

— Лиля, это я. Я забыл кое-какие документы. Они в секретере.

Она открыла дверь.

— Вот не чаяла тебя сегодня еще увидеть. Впрочем, иди, бери.

И она вернулась на кухню.

— Не беспокойтесь, это мой бывший муж, — нарочито громко сказала она. Ей понравилась эта анекдотическая ситуация. Она была уверена, что Денис явится на кухню. Она хорошо его знала.

И не ошиблась.

— Здравствуйте, а ты, я смотрю, времени не теряешь, — довольно злобно заметил бывший супруг.

— Денис, я теперь свободная женщина.

— Свободная не обязательно блядь!

Артем угрожающе поднялся из-за стола.

— Я не позволю вам оскорблять женщину в моем присутствии.

— А у вас уже моя футболка. Ну-ну!

— Ты все взял?

— Да. А где мои щетки для обуви?

— В мусоропроводе.

— А кофе ты мне не предложишь?

— Нет. Ты здесь лишний, Денис.

— Я, судя по всему, помешал?

— Да, ты помешал нам с Артемом отпраздновать мое освобождение. Так что иди, у тебя есть твоя юная блондинка, отпразднуй с ней свое освобождение.

— Ну-ну, куда ты катишься? Ты сейчас так вульгарна!

— Так, кажется, все-таки придется поучить вас, как надо разговаривать с женщинами...

— Да ухожу я, ухожу.

— Вот и славно!

Денис в бешенстве выскочил в прихожую и уже от двери крикнул:

— Прошу прощения за коитус интерруптус![1]

С этими словами он захлопнул дверь.

Лиля покраснела, а Артем расхохотался.

— А ведь он вас любит, — со вздохом произнес Артем. — И безумно сожалеет о своем поступке.

— Ерунда, он просто собственник. И самонадеянный тип. Думал, что я сижу тут в слезах. Спасибо вам! Вы тут оказались весьма кстати. Да, если вы так вступаетесь за женщин, не удивительно, что вы сюда попали... Вас часто бьют?

— Лиля, а почему вы, такая милая, нежная, рявкнули на меня и сказали «цыц»? Как-то это с вами не вяжется.

— Я сказала вам «цыц»? Не помню.

— Сказали, сказали! И в этот момент я в вас втюрился.

— Да ладно!

— Честное слово.

— Пейте лучше кофе, рыцарь!

— Ох, какой кофе! Я в какой-то момент испугался, что ваш экс-супруг заберет кофеварку.

---

[1] Прерванный половой акт (*лат.*)

Лиля рассмеялась.

— Да нет, он не такой. Он ничего не забрал, кроме своих вещей.

— И на том спасибо.

У нее сердце выпрыгивало из груди. Неужто он и вправду в меня втюрился? А я в него уже по уши... И что будет теперь? Впрочем, завтра я уезжаю к маме. Ничего, эта влюбленность рассосется сама собой. Ни к чему она сейчас.

— Лиля, это судьба.

— И что?

— Я не знаю... Только чувствую — все неспроста.

Он шагнул к ней, привлек к себе.

— Лилечка! — шепотом, на ухо произнес он.

А она вдруг очень ясно увидела, что случится дальше. Они проведут вместе восхитительную ночь, утром он уйдет, наобещав с три короба, она уедет и больше они не встретятся. Для него это будет просто забавный эпизод, а для нее долгая и совершенно никчемная мука. Тогда зачем?

— Лилечка, милая, я хочу тебя.

— Цыц! — решительно сказала она. — Это не мой жанр. К тому же завтра я уезжаю в Питер. К маме. Рада была вам помочь.

— Ну что ж, как угодно даме. Я, пожалуй, пойду. Но я знаю твой адрес. И обязательно нанесу визит, когда ты вернешься.

Денис был вне себя. Он чего угодно ожидал, но чтобы такое... Что за наглость! Да еще футболку ему отдала. Мне, правда, она не нравилась, и я ее оставил, но тем не менее. Отдышавшись немного, он подумал: А чего я, собственно, так взбеленился? Лилька уже не жена мне, я сам от нее ушел и футболку оставил. Я что, собака на сене? Или дело в том, что я не очень-то хочу жениться на Светке? Первый угар прошел, а говорить-то с ней о чем? Этой проблемы с Лилькой не было. Она, конечно, не так хороша как Светка, но... А впрочем, пошли они все к черту! Что одна, что другая... Надо позвонить Валерке. Он, помнится, предлагал мне работу за границей. Самое милое дело слинять сейчас за кордон. Светка вряд ли за мной увяжется... Хотя, боюсь, без штампа в паспорте она меня не отпустит. И за каким чертом ей этот штамп, если я уеду? Им кажется, это цепь, на которую они нас сажают. Ну и дуры! Хотя Лилька вовсе не стремилась узаконить наши отношения, я сам настоял... Дурак... Хотя почему дурак? Она сразу дала развод, без звука... Интересно, почему? Наверное у нее уже давно шашни с этим типом... Да, друг мой Деня, ты, видно, из той породы мужей, которые обо всем узнают последними. Нет, дорогие дамы, в ближайшие годы вы меня в новый брак не загоните. Это надо же, клюнуть на юную блондинку... Где твои мозги были? А впрочем, известно где. Недаром же дед называл меня в юности Дэнис-пенис!

Едва захлопнулась дверь за Артемом, Лиля позвонила подруге Миле, живущей в соседнем доме.

— Милка!

— Ой, Лилечка, ну ты как? — спросила подруга полным сочувствия голосом.

— Ты не поверишь, когда я расскажу тебе, что случилось.

— Денис отказался разводиться?

— Да нет, дело не в Денисе, хотя и с ним тоже не все так просто.

— Короче, надо увидеться?

— Необходимо!

— Ты ко мне, я к тебе или на нейтральной полосе?

«Нейтральной полосой» называлось кафе в соседнем переулке.

— Давай в «Полосе» через полчасика.

— Годится. Лиль, хоть намекни...

— Не буду. Неинтересно.

— Я умру от любопытства.

— Доживешь! Пока.

— Ну? Говори!

— Постой, давай сперва закажем. Девушка, мне, пожалуйста, кофе «латте», мороженое с орехами и струдель с вишнями.

— Лиль, ты сдурела?

— Нет. Нисколько. Просто сладкого хочется.

— А мне двойной эспрессо и... панакотту. Ну, ты долго будешь меня мучить?

— Нет. Слушай...

Мила слушала, затаив дыхание.

— И ты так просто его отпустила?

— Ну да...

— Обалдеть... Лиль, а ты, часом, не придумала это все? Очень уж смахивает на сериал?

— Хочешь, пойдем ко мне, покажу тебе его окровавленную рубашку?

— Ошизеть! Только не говори мне, что ты осталась к нему равнодушна!

— А я и не говорю... Просто я решила — не надо спешить. Поспешишь, себя насмешишь. В конце концов он знает, как меня найти, даже в Питере, захочет, найдет, а нет, значит, я оказалась права.

— Погоди, расскажи-ка мне, как он выглядит?

— Выглядит... Классно он выглядит. Большой, накачанный...

— Ну, если уж такой накачанный, чего ж спасался бегством от каких-то ханыг?

— Видно, сумел рассчитать свои силы, и потом у них было перо...

— Лиль, я тебя умоляю... Эта уголовно-киношная лексика в твоих устах... А глаза у него какие?

— Серые, с ободком вокруг зрачка...

— Сероглазый король?

— Да ну, сероглазый король умер, а я не хочу...

— Ох, не занудничай! А губы, какие у него губы? Тонкие?

— Нет, то есть верхняя довольно тонкая, а нижняя... Одним словом, с ума сойти, какой рот.

— И ты с ним даже не поцеловалась?

— Нет.

— Поздравляю, подруга!

— С чем?

— Он у тебя в кармане.

— Да почему?

— Да потому! Если такой мужик, наверняка имеющий успех у баб, вдруг обломался, да еще в такой идеальной романтической ситуации, у него точняк снесет крышу. Точняк!

— Поживем — увидим!

— Погоди, теперь еще и Денис к тебе скоро приползет. Они, мужики, все такие. Главное — их не любить. Тогда они у тебя в кармане.

— Но если не любить, то зачем?

— Здрасьте — приехали! От мужика много пользы.

— Но вреда как-то больше...

— Спорная точка зрения. Но и не вовсе лишенная оснований.

Хотя Лиля ехала дневным сидячим поездом, но почти всю дорогу спала. Сказалась бессонная ночь накануне. Ведь после всех событий минувшего дня она так и не смогла сомкнуть глаз. Она проснулась за полчаса до прибытия в Питер, подкрасилась, причесалась. И вдруг ей в голову стукнуло — а вдруг Артем примчится в Питер, встретить ее? А что? Вполне возможно... Такой может... И что тогда делать? Ах, это неважно... Тогда все будет так, как захочет он... Я могу позвонить маме и предупредить, что... Да, я скажу Софье Яновне, что... А что я ей скажу? Просто скажу, чтобы они не волновались, со мной все хорошо... И сладко замерло сердце... Почему-то я уверена, что он меня встретит, он должен, он просто не мог поступить иначе. Вполне возможно, он приехал как раз ночным поездом, нашел пристанище для нас и встретит меня с букетом цветов... Скорее всего это будут пионы... Сейчас сезон пионов. Я загадаю, если это будут пионы, то...

И тут поезд остановился. Она взяла свой чемодан и повезла к выходу. Почему так светло?

Ах да, белые ночи. Она сошла на перрон, растерянно озираясь. Он опаздывает, успокоила она себя. В Питере тоже пробки будь здоров! Ничего, подожду минут... десять — пятнадцать. Хотя эффект будет уже не тот. Народ спешил к выходу, ее довольно бесцеремонно толкали. Вдруг она заметила, что кто-то почти бежит ей навстречу с букетом пионов. Лица за букетом не видно... Сердце ушло в пятки. Нет, это не он.

— Простите, вы Лиля? — спросил запыхавшийся мужчина.

— Я, — упавшим голосом сказала она.

— Ради Бога, извините! Меня Полина просила вас встретить, а я попал в пробку... Давайте ваш чемодан. Идемте скорее, я машину поставил в неположенном месте.

— Спасибо, — пробормотала разочарованная Лиля. Вечно я что-то выдумываю. Охота была Артему тащиться ко мне в Питер. С глаз долой, из сердца вон.

И все-таки она с надеждой озирала толпу. Тщетно.

— Фу, слава Богу, садитесь скорее, — сказал встречавший.

— Куда мы едем? — поинтересовалась Лиля.

— Домой к Полине. В театр уже поздно. Да, я забыл представиться, меня зовут Сергей, фамилия, не удивляйтесь, Фауст.

— Фауст? — не удержалась от смешка Лиля. — А кличка у вас не иначе Мефистофель?

— Нет, — тоже усмехнулся он. — В школе меня звали...

— Погодите, я угадаю. Фауст-патрон?

— Откуда вы знаете? — удивленно покосился
он на нее.

— Догадалась.

— Надо же...

У него было приятное интеллигентное лицо,
пожалуй, даже красивое, только голос высоковат,
решила Лиля. А у Артема голос низкий, волную-
щий, с такими обертонами...

— Как вы доехали?

— Да спала почти всю дорогу.

— Тогда какой смысл ехать дневным поездом?

— Так получилось. Сергей, а вы кто?

— В каком смысле?

— Почему мама попросила вас меня встретить?

— А, понял... Я сосед Полины. Ни к театру,
ни кино отношения не имею. Как и вы, насколько мне известно?

— Да. Ну как мама?

— По-моему, прекрасно. Ждет — не дождется
дочки. А вы на нее непохожи.

— Увы.

— Почему увы? — искренне удивился он.

— Мама такая красавица...

— Так и вы...

— Договаривайте, вы же хотели сказать: «Тоже не урод».

— О, как все запущено! Уверяю вас, Лиля, вы ничуть не хуже вашей мамы, просто как бы это сказать... Вы еще дичок, а мама ваша растение уже обработанное селекционерами. К тому же Полина гениально умеет играть красавицу. В этом вся соль. Возьмите у мамы несколько уроков и, уверяю вас...

— Да нет, тут нужен природный талант. А вы умный.

— Спасибо на добром слове. Ну вот мы и приехали. Полина говорит, вы еще не были в этой квартире.

— Не была.

— Вон видите на третьем этаже четыре освещенных окна, это вас ждут.

А вдруг Артем заявился прямо к маме, чтобы не проворонить меня, он же не знал, каким поездом я поеду...

Сергей донес ее чемодан до двери и позвонил. Дверь мгновенно открылась. На пороге стояла Софья Яновна, домоправительница, как называла ее мать и дальняя родственница.

— Лиля, деточка, наконец-то, заходи скорее, мамаша скоро будет, звонила уже, что едет! Выглядишь хорошо, не меняешься. Дай-ка, я тебя поцелую! — от Софьи Яновны вкусно пахло корицей.

— Сережа, заходите, Полина велела вас тоже к ужину звать. Жаль Юрия Мироныча в Питере нет.

— Спасибо, Софья Яновна, непременно, только пойду отгоню машину на стоянку.

— Идите, голубчик, может, уже и Полина прибудет.

Сергей ушел. Софья Яновна еще раз поцеловала Лилю.

— Пошли, покажу тебе твою комнату.

— Спасибо, но я хочу всю квартиру посмотреть.

— Да ты что! Полина меня убьет. Она сама хочет тебе все показать.

— Ладно, — засмеялась Лиля. Она уже поняла, что квартира обставлена на старинный лад, мебель сплошь антикварная. Впрочем, мама всегда любила антиквариат. В комнате, куда провела ее Софья Яновна, стояла красивая кровать-лодка из карельской березы с черным деревом, такой же туалетный столик, на полу лежал светлый ковер.

— Мать сказала, что это навсегда твоя комната.

— А шкаф тут есть? — полюбопытствовала Лиля.

— А как же. Только шкафа такого карельского она не нашла и вон что удумала.

В стене за изумительной красоты ширмой была едва приметная дверь, которая вела в просторную гардеробную.

— Прелесть какая!

— Давай, может пока разберешь вещички-то. Да заодно глянь, подарки уж тебя дожидаются. Короче, я на кухню, а ты тут разбирайся.

На кровати лежала красивая большая коробка. Лиля достала оттуда восхитительный светло-сиреневый пеньюар с ночной рубашкой. Голливуд, усмехнулась про себя Лиля. А в гардеробной на плечиках висел махровый розовый халат, мягкий и воздушный. Еще там обнаружились такие же тапочки. Хотелось немедленно облачиться в эту роскошь, но Лиля была уверена, что кроме Сергея, мама кого-нибудь еще непременно притащит к ужину. Она быстро распаковала чемодан, достала подарки для матери, Мироныча и Софьи Яновны. Быстро сменила свитерок на легкую кофточку, причесалась и слегка подкрасилась. Да, мама не даст мне скучать и к чертям собачьим всех мужиков.

Раздался звонок в дверь. Она прислушалась, узнала тенорок Сергея. Надо бы выйти к нему... А впрочем, можно и не спешить. Но тут в дверь опять позвонили, два раза. Мама! *Лиля выскочила в прихожую.*

— Мамочка!

— Лилёнок!

Они бросились друг другу в объятия.

Полина Сергеевна как всегда выглядела ослепительно. Шикарный бледно-зеленый костюм, сногсшибательная шляпа (она обожала шляпы), высоченные каблуки, безупречный макияж и это после тяжелого трудового дня.

— Мамочка, ты как всегда красавица!

— Да ладно, Лилёнок! Как я счастлива, что ты здесь! О, Сережа, спасибо большущее, что встретили дочку.

За матерью в квартиру вошло еще несколько человек.

— Лилечка! Девочка, не узнаешь меня? — воскликнула глубоким прокуренным голосом дама в черном плаще.

— Ох, тетя Сима! Откуда вы? — обрадовалась Лиля старой маминой подруге, актрисе Нижегородского театра.

— А я теперь в Питере, в Александринку позвали!

— Как здорово, тетя Сима!

С кем-то ее знакомили, кто-то говорил, что помнит ее «вот такусенькой», словом, привычная суета, всегда окружавшая маму.

Вскоре все собрались в столовой за огромным овальным столом, над которым навис большой и очень уютный абажур золотистого шелка. Стол был накрыт торжественно, по всем правилам этикета. С ума сойти, думала Лиля, вспоминая годы, когда они только что не голодали. Правда и тогда бабушка не позволяла опускаться. «Имей в виду, Поля, если я увижу на столе газетку, я немедленно умру!» Правда, когда бабушка уезжала к сестре в Киев, они с мамой нарочно ели на газетке, смеялись, перемигивались и вообще вели себя как две подружки-второклассницы в отсутствие строгих родителей. При муже Лиля тоже строго блюла все правила. Вернусь домой, накуплю одноразовой посуды и буду есть на газетке, решила она. Куплю пива, воблы...

В дверь опять позвонили. Пришел сосед, в котором Лиля узнала знаменитейшего артиста Лисицына.

— Поля, прости за вторжение, но я просто не мог не поделиться, иначе меня бы разорвало! — со смехом заявил он. — О, какое общество! Может, я не к месту?

— Николай Николаевич! Вы всегда к месту, садитесь с нами, познакомьтесь, это моя дочь, Лиля.

Знаменитый артист глянул на Лилю глазом опытного бабника:

— Очаровательная девушка, просто ландыш!

— Ник.Ник, от чего вас могло разорвать? — напомнила тетя Сима.

— Ах да! Друзья мои, я услыхал по телевизору фразу! Вроде бы уже привык, что там говорят на кошмарном языке, но такое! Представьте себе, какая-то шмакодявка сказала про Пенелопу Крус: «Положение публичной женщины...»

Народ за столом грохнул.

— Это еще не все! Так вот «положение публичной женщины обязывает к присутствию большого количества макияжа на лице!» Ну, каково? Куда мы катимся? Я бы эту девку отовсюду выгнал поганой метлой!

— А у нее, скорее всего, имеется диплом!

— Тогда метлу надо бы сначала окунуть в нечистоты!

— Совершенно с вами согласна! — заявила тетя Сима. — Нас все-таки учили говорить по-русски, а сейчас... Вот на днях смотрела «К барьеру». Схлестнулись два интеллигента.

— Это не интеллигенты! — закричал Ник.Ник.

— Хорошо, согласна! Но формально, это были писатель, причем очень известный, и историк старого дворянского рода. Писатель говорил: «банты́!», а историк: «мы понимаем о том, что...» Каково?

— Как хорошо, что я стар и скоро отойду в мир иной. Надеюсь, там еще говорят на нормальном русском. Скажите, откуда это?

Как давно я не была на таких вечеринках... думала Лиля. Какие все милые, веселые. Мама мудрая женщина... В первый момент я даже обиделась, а сейчас рада. Завтра поговорим, но завтра температура и накал будут уже не те... И это правильно. Мама думает, что я страдаю из-за развода. Да нисколько... И я уверена, что завтра она начнет убеждать меня обратить внимание на Сережу, потому и послала его встречать меня. Он, очевидно, холост или тоже разведен. Но он совсем мне не нравится. Да и я ему, кажется, тоже. А Артем... Нет, Артем уже пройденный краткий этап, маленький эпизод. Он, конечно, герой, а актеры на героические роли редко играют в эпизодах...

Гости разошлись очень поздно. Лиля еще помогла убрать посуду и повалилась спать. Кровать карельской березы оказалась очень удобной. А мама так и не успела показать мне квартиру...

— Лилёнок, не спишь? — Полина Сергеевна в черной атласной пижаме юркнула под одеяло. — Лилёнок мой, здравствуй! Как же я рада, что ты тут!

— Мамочка! — Лиля прижалась к матери.

— Только без мерихлюндий! Договорились? Помнишь девиз?

— Вперед и с песней? — улыбнулась Лиля.

— Именно!

— Да я вовсе не развожу мерихлюндий, просто я рада, что приехала к маме, и мама у меня самая красивая на свете!

— Ох, Лилька, если б ты знала, чего эта красота в моем возрасте стоит!

— Я что-то не заметила вчера, чтобы ты в чем-то себе отказывала!

— Слава Господу, хоть этой проблемы у меня нет! Но все остальное... Знаешь, сколько стоят все эти кремы, лосьоны, сыворотки? Дикие тыщи! А фитнес-клуб, ужасти!

— Мамуля, но у тебя же есть эти тыщи, правда?

— Еще бы! Я сколько вкалываю! Иной раз говорю себе: не надо, не соглашайся на эту роль, ты такое уже сто раз играла и вообще, но отказаться не могу. Как вспомню нашу нищету, свою невостребованность, крем «Янтарь»...

— Крем «Янтарь»? Но ты же всех уверяла, что это самый лучший крем.

— Да, тогда я так считала, других-то не было, вернее, денег не было. Помнишь, у нас продавали крем «Пондс»? Он стоил четыре рубля, но я не могла его себе позволить.

— Мамуля, а Мироныч?

— Что Мироныч? Сегодня есть Мироныч, а завтра... Кто его знает, найдет молоденькую...

— Да он же тебя боготворит!

— Лилёнок, миленький мой Лилёнок! Рассчитывать лучше всего на себя! Как говорится, любовь любовью, а табачок все-таки лучше врозь. Ладно, это всё низкие материи. Расскажи про себя.

— Да и рассказывать нечего. Развелись тихо-мирно. И слава Богу.

— Лилёнок мой, я ведь даже толком не знаю, ты Дениса-то любила?

— Какое это теперь имеет значение, мамочка?

— Выходит, не очень-то и любила... Черт, что за жизнь, когда моя единственная дочка повзрослела, у меня только началась нормальная... черт, не знаю, как назвать... карьера, что ли? Лилёнок, ты прости меня, я ведь тебя фактически бросила...

— Ну что ты, мама, глупости, ничего ты меня не бросила, я всегда знала, что у меня есть мама и если что... Это, если хочешь знать, важнее ежедневной опеки. Вон у Милки мамаша, вроде как и опекает ее, а жить фактически не дает.

— Ты, правда, так думаешь? — встрепенулась Полина Сергеевна. — Не утешаешь меня?

— Нет, зачем?

— Знаешь, я очень счастливая женщина, хоть и поздновато ко мне все пришло, но... И у меня самая лучшая дочка на свете.

— Мам, перестань! А то мы сейчас обе разревемся, а лишняя влага вредит карельской березе.

— Ох, а я ж не показала тебе квартиру! Идем! О, почему ты не надела новую ночную рубашку?

— Да какая-то она слишком роскошная...

— Ничего подобного! И ты врешь, наверняка бережешь для любовника. Да, кстати, у тебя есть кто-нибудь?

— Только на примете, мама. А потому и говорить рано.

— Скажи мне только, сколько ему лет и чем он занимается?

— Лет ему, наверное, тридцать пять — тридцать семь.

— Что значит, наверное? Ты не знаешь?

— Нет. Я практически ничего о нем не знаю, мы только позавчера познакомились. И чем занимается тоже не знаю.

— А как зовут хотя бы знаешь?

— Имя знаю, а фамилию нет.

— Боже, это никуда не годится. И это никак нельзя назвать любовником на примете. Это просто мимолетное знакомство. Вот что, Лилёнок, обрати-ка ты внимание...

— На Сергея? Мне он не нравится.

— Но почему? Прелестный молодой человек, умница, превосходно зарабатывает, квартира у него — мечта! Окрутила бы его, глядишь, и жили бы в одном доме, ты только представь...

— Мамуля, я даже представлять себе не хочу брак ни с кем, хоть с Брэдом Питтом. Я хочу жить одна!

— Но как же одной, без мужчины?

— Мама, я не членозависимая.

— Как? — рассмеялась Полина Сергеевна. — Никогда не слыхала такого выражения. Очень метко. А я вот зависимая. Выходит, муж твой никуда не годился. А новый знакомый...

— С этой стороны я его тоже не знаю.

— Лилька, скажи, а ты когда-нибудь вообще влюблялась до потери пульса?

У Лили больно защемило сердце.

— Нет, мамочка. Пока нет.

— Это скверно. Хотя... Может и лучше так... А то бывает очень больно. Но тут, видно, ты не в меня. Ладно, пошли смотреть квартиру и завтракать! Кофе хочу — умираю!

Когда-то давно Лиля влюбилась, влюбилась до сумасшествия. Подруга Милка называла эту любовь «татаро-монгольское иго». Его звали Ринат Ахметщин. Красавец, мастер спорта, каскадер. Он был без памяти влюблен в ее мать, а мама лишь принимала его ухаживания. Он был моложе Полины Сергеевны, а у нее как раз тогда закрутился роман с ее третьим мужем, швейцарским бизнесменом, с которым она прожила всего полтора года. Но тогда, в период ухаживания, любовь молодого каскадера не вызвала у нее ответного чувства, и она не заметила, что дочь сохнет по нему. Он относился к Лиле как к сестре или доброй подружке. А Полине устраивал сцены ревности, достойные итальянской комедии. Лилина любовь к Ринату была так сильна, что однажды она сказала матери:

— Мамочка, неужели ты не видишь, как Ринат тебя любит?

— Ах Боже мой, но я-то его не люблю!

— Тогда зачем ты обнадеживаешь его? Зачем приглашаешь в дом? И вообще...

— Лилёнок, он такой красавец! Это приятно для глаз, да и в общем-то лестно появляться с таким мужчиной. Но не более. Какие у меня с ним перспективы? Он остынет, влюбится в молоденькую... Не говоря уж о том, что я люблю Вернера.

А почему это тебя так волнует? Ты сама в него влюблена, Лилёнок? Так ради Бога! Бери его себе! Мне не жалко, да и тебе он больше подходит. Молодой, горячий...

Легко сказать, бери! А как?

Но однажды, когда мама уехала в свадебное путешествие с Вернером, Ринат явился без звонка, с букетом васильков. Узнав об отъезде Полины Сергеевны, он впал в отчаяние, плакал и Лиля взялась его утешать. В результате этих утешений они оказались в постели. Лиля была девушкой, что повергло Рината в крайнее смущение, и утром он исчез. Лиля долго убивалась, но не искала его, а потом вышла замуж за Дениса, просто, чтобы забыть Рината. И года через два ей это удалось. А потом Лиля узнала, что он уехал из страны. А куда — неизвестно. Но года три назад Лиля случайно услыхала разговор матери с ее московской подружкой, сценаристкой:

— Помнишь, Лорка, за мной ухаживал такой красавец-каскадер?

— Ахметшин?

— Ну да. Так вот, я недавно его встретила...

У Лили замерло сердце.

— Да? Где? Он же, кажется, эмигрировал?

— Да! Я встретила его, когда была в Париже.

— Он все так же хорош?

— Не то слово. Тогда это был красивый мальчик-каскадер, а тут потрясающий мужчина-бизнесмен! Согласись, есть разница?

— И ты дала ему почувствовать эту разницу?

— Зачем так длинно? Я ему просто дала. Это что-то, Лорка! Фейерверк!

— Он был счастлив? Мечта сбылась?

— Мечта сбылась, а насчет счастья... загадка! Он вообще теперь такой... сфинкс! Но в постели...

— Это имеет продолжение?

— Да нет, он живет в Южной Африке, совершенно влюблен в тамошнюю природу, да и вообще зачем, я старше и не хочу...

— Ты пожалела, что раньше не уступила такому мачо?

— Нет! Но и об этой парижской эскападе тоже не жалею. Яркое впечатление!

Лиля тогда была в смятении. Но потом решила — в конце концов Ринат это далекое прошлое, а мама она и есть мама, и разговор не предназначался для ее ушей, недаром бабушка всегда твердила, что подслушивать последнее дело. Что ж, мама переспала с ним однажды и я тоже. Правда, у меня он был первым и не произвел какого-то сверх-впечатления в этом смысле... И меня он не любил. Вероятно, в Париже он маму тоже уже не любил, а просто сам себе доказал, что нет таких крепостей... Все, в общем-то, по справедливости.

— Ну, Лилёнок, какие планы? — спросила Полина Сергеевна после завтрака.

— Сама еще не знаю. Погода хорошая, может, прогуляюсь по Питеру, я люблю...

— Ничего подобного! У меня сегодня совершенно свободный день, знаешь, как сложно мне было освободиться? И мы поедем по магазинам.

— Зачем это? — испугалась Лиля.

— Я заглянула в твой шкаф! Это немыслимо, у тебя абсолютно депрессивный гардероб! Что это за цвета? Чистое безобразие. А цвет волос?

— Мама, но ты меня с таким цветом родила!

— Ну и что? Ошибки природы надо исправлять.

— Мама!

— Что мама? Я хочу, чтобы моя единственная дочь была еще лучше. Нет предела совершенству!

— Но чем тебе мои волосы не угодили?

— Их надо как-то... освежить, что ли. И стрижка у тебя не **ахти**. И макияж ни к черту.

— Да нет у меня ник**ако**го макияжа!

— Но вчера-то был! Ты неправильно красишь глаза. А руки? На что похожи руки?

— Мама, ты это для Сережи стараешься?

— Дуреха ты, я для тебя стараюсь! Хотя Сережа отличная кандидатура!

— Ага, Фауст!

— Ну и что? Тебе же не обязательно брать его фамилию!

— Все равно, меня все стали бы называть мадам Фауст.

— Тогда уж фрау Фауст. И чем это плохо?

— Мам, тебе не терпится меня пристроить?

— А тебе нравится быть разведенкой?

— А знаешь, пожалуй, нравится. Мне как-то легче.

Прекрасные глаза Полины Сергеевны легко налились слезами.

— Лилёнок, тебе было так плохо с Денисом?

— Если честно, мама, то... никак.

— Но почему же ты так долго терпела?

— По инерции... Многие так живут.

— Надо было родить.

— Денис ни за что не хотел детей.

— Подумаешь, большое дело! Родила бы и он еще был бы прекрасным отцом. Он же в сущности неплохой малый.

— Неплохой, — вяло согласилась Лиля. — Но не мой.

— О, милая моя, если ждать свою вторую половинку, можно всю жизнь профукать! И лучше не сидеть сиднем, а действовать методом проб и ошибок.

— Как ты?

— Хотя бы!

— А Мироныч твоя половинка?

— Не исключено! Но во всяком случае я живу с ним уже восемь лет, и он дал мне ту жизнь, которая мне нужна.

Лиля мучительно соображала, как бы потактичнее перевести разговор, она терпеть не могла подобных бесед именно с матерью. Мать всегда пыталась повернуть ее жизнь по-своему. И неужели она не помнит, как настаивала на браке с Денисом? Поразительно.

— Лилёнок, не куксись, тебе не идет. И вообще, хватит трепотни, поехали! К вечеру ты сама себя не узнаешь!

Лиля только плечами пожала. Бороться с мамой бесполезно. Но в тоже время ей было приятно почувствовать себя маленькой девочкой, которую мама водит за ручку.

— Помнишь, как ты не желала ни за что стричься?

— Да, я ревела, а ты волокла меня за руку. Было так обидно...

— А помнишь, ты качалась на стуле, а мы с бабушкой одновременно тебя шлепнули? Вот ты вопила!

— Еще бы не помнить.

И они пустились в путь. В какой-то момент Полина Сергеевна взмолилась:

— Я должна выпить чашку кофе! И передохнуть. С тобой тяжело, Лилька, ты все время артачишься. Скажи-ка, а как у тебя обстоят дела на работе?

— Похоже работа скоро накроется медным тазом. Ну и пусть, там противно... И скучно.

— Что, нечего делать? — удивилась Полина Сергеевна.

Лиля работала в пиар-отделе крупного издательства.

— Да нет, работы хватает, но ее не хочется делать. Все хорошие идеи рубятся на корню. Пришел новый зав. отделом, и решил все поставить с ног на голову, как будто мы все кретины недоделанные, а он один все знает. До него было лучше, я с удовольствием ходила на работу, а теперь... Требуют сами не знают чего, но ты вынь да положь. А спросишь, что, собственно, надо сделать, отвечают: вам за это деньги платят, должны сами знать. Многие уже ушли...

— Значит, ты за эту работу не держишься?

— В принципе нет, хотя я привыкла и к людям и к месту, мне недалеко...

— Лилёнок! Ты должна перебраться в Питер! Думаю, твою квартиру продать можно очень хорошо и купить что-то здесь, мы с Миронычем поможем. Он найдет тебе работу!

— Мама! — поморщилась Лиля. — Я не хочу!

— Ладно, там будет видно!

Полина Сергеевна не зря старалась — к вечеру Лиля себя не узнала. Пушистая светлая головка, новый макияж придали лицу некую загадочность. Мама еще требовала, чтобы ей закачали в губы какую-то гадость, но тут Лиля встала на смерть.

— Ни за что! Не могу видеть этих губастых баб! Они все на одно лицо. Не желаю!

— Тогда нужна более яркая помада!

— Хорошо, — согласилась Лиля. В конце концов помаду несложно поменять, но как ни странно она вдруг себе понравилась. И попросила научить ее красить глаза так, как это сделал стилист.

— Фу, Лилька, я устала бороться с тобой! Легче сняться в двух сериалах и сыграть спектакль! Ты упрямая. И в кого ты такая?

— Самой хотелось бы наконец узнать, в кого!

— Брось! Я уж говорила, что не знаю! Не надо мне напоминать о грехах моей юности!

— А то сейчас ты не грешишь?

— Бывает, но редко. Времени совсем нет! Знаешь, как ни странно, ты стала похожа на Одри Хепберн, отдаленно, но все же... Ты очень ин-

тересной можешь быть, Лилёнок! Значит, Сережа тебя не взволновал?

— Ни капельки!

— Ладно, будем искать!

И Полина Сергеевна взялась за дело. За неде-
лю Лиле было представлено еще трое кандидатов,
но ей никто не понравился. Она всех сравнивала с
Артемом, и сравнений никто не выдержал. Выходит, я все-таки влюбилась в него, пришла к выводу
Лиля. А вскоре ей захотелось домой. В доме матери было слишком многолюдно. Мама постоянно
кому-то поручала развлекать Лилю, а ей хотелось
побыть одной. Она уже считала дни до отъезда.

Как-то утром, мама уже умчалась на съемки,
Лиля пила кофе в гостиной и смотрела телевизор.

— Лиль, тебя к телефону, — сообщила Софья
Яновна.

— Кто?

— Почем я знаю?

— Алло!

— Лилия Андреевна?

Неужели? Сердце ушло в пятки.

— Да. Кто это? — она с трудом взяла себя в
руки.

— Это Артем. Помните, вы спасли меня...

— Артем? Да, конечно, помню. Но как вы меня нашли?

— Я же знаком с вашей мамой, забыли? Знаю ее телефон. Я приехал в Питер по делам и вот решил позвонить, вдруг вы еще здесь. И мне повезло! Лиля, давайте встретимся сегодня.

— Давайте! — сердце буквально выпрыгивало из груди от радости.

— Когда и где?

— Ну, я не знаю...

— Хорошо... Через час на Аничковом мосту, годится?

— Годится!

— Все, до встречи, Лилечка!

Она вскочила и кинулась в свою комнату. Открыла шкаф, где висело несколько новых, недепрессивных нарядов. Погода стояла чудесная, солнечная. Значит, наденем узенькие белые брючки, белую тонкую блузочку, а сверху бирюзовую летящую тунику, туфли на высоченных каблуках! Блеск! Она накрасила глаза, губы.

— Софья Яновна, я ухожу!

— Ух как начепурилась! Хороша, ничего не скажешь! Кавалер, что ль, позвонил? Московский?

— Да!

— Где свиданка-то?

— На Аничковом мосту.

— Так времени еще вагон. Куда нестись-то? Успеешь! А мать твоя права была, когда взялась

за тебя. Ты красоточкой стала. А щечки-то небось и без краски горят! Что за парень-то? Дель-
ный хоть? Не артист?

— Нет, не артист!

— И слава Богу. Насмотрелась я на артистов-
то! Давно его знаешь?

— Да нет, совсем, можно сказать, не знаю, —
радостно засмеялась Лиля.

— Красивый, да?

— Как бабушка говорила, видный!

— Холостой?

— Не знаю.

— Ох смотри, девка, с женатыми не вяжись,
маета одна.

— Ах Боже мой, я вообще не хочу ни с кем вя-
заться. Я просто хочу погулять по Питеру с при-
ятным человеком...

— Много ль ты на таких каблучищах-то нагу-
ляешься? Скорее нагуляешь...

— Софья Яновна! — засмеялась Лиля.

— Ну и смех у тебя... Даже какой-то...

— Какой?

— Как у матери твоей, когда у ней течка бывает. Стыдоба одна! Ну иди уж, иди! Думала я, ты
не в мать, а сейчас гляжу — той же породы, просто муж твой, видать, тебя приморозил. Иди,
срамота! — Глаза ее при этом смотрели добродушно.

Лиля выбежала из дома. Ах, как хорошо! Солнце в Питере это так прекрасно! Она быстро пошла вдоль Мойки, вспоминая строчки Александра Кушнера: «Пойдем же вдоль Мойки, вдоль Мойки...» Больше она ничего не помнила. На Невском она глянула в витрину парфюмерного магазина и не узнала себя! Ой, а вдруг я не понравлюсь ему в этом новом облике? А вдруг он мне, такой, не понравится? Нет, он мне уже понравился! Вон, Софья говорит, что я маминой породы, а мама неотразимая женщина. Причем эта ее неотразимость пришла к ней не сразу... А вон уже и Аничков мост. Кажется, я явилась первой? Ну и что? Плевать на все условности! Я-то пешком, а он мог в пробку попасть! И если он опять скажет мне: «Лиля, я хочу тебя!» Я отвечу: «Я тоже, Артем!» И если даже не посмеет, я первая ему скажу... Нет, так не будет. Конечно, он хочет, иначе зачем разыскал меня?

И тут она увидела его! Он стоял, то и дело поглядывая на часы. Он не узнавал ее. Он ждал другую Лилю, ту, прежнюю, которая сказала ему «цыц»!

— Артем! Вы меня не узнали?

— Лиля! Боже мой, что за волшебное преображение? Вы... Вы... Это не вы!

— Вы разочарованы? — дрогнувшим голосом спросила она.

— Ну что вы... Лиля... Я просто сражен! Однако, мне надо привыкнуть к вам в этом новом облике... Скажите, а ваш муж...

— У меня нет мужа!

— Ваш бывший муж вас еще такой не видел?

— Нет! Артем, скажите, те придурки...

— Бросьте, они обо мне уж и думать забыли!

— А как ваша рана?

— Царапина! Зажила, на мне заживает как на собаке.

— Артем, мы так и будем стоять на мосту?

— Ох, простите, Лиля, у меня от вашего преображения мозги как-то расплавились. Есть идея...

— Слушаю вас!

— Погода уж больно хороша, может, покатаемся по Неве на пароходике, а потом где-нибудь пообедаем?

— С удовольствием!

— Лиля, а каблуки?

— Что каблуки?

— Вы на таких каблуках выдержите?

— А черт его знает... — засмеялась Лиля. — Я сдуру их надела, хотелось быть красивой...

Ой, что я несу? — испугалась она.

— Для меня? — спросил он тихо.

— Для себя. Хотя... и для вас тоже.

— Будем считать, что я все оценил. Но, может, забежать домой переобуться? Я, конечно, готов носить вас на руках...

— Ну, я даже не знаю...

Он видел, что ей не хочется снимать красивые модные босоножки.

— Хорошо, вам сейчас в них удобно? Нигде не жмет? Не натирает?

— Нет.

— Тогда сделаем так. Я думал дойти пешком до Невы, но раз такое дело, поймаем машину. На пароходике вы можете их снять, а дальше в зависимости от того, как будете себя чувствовать... Либо пойдем пешком, либо возьмем машину.

— Спасибо, Артем! Вы все понимаете... — смутилась Лиля.

— Ладно, пошли ловить такси. В Питере с этим хуже, чем в Москве. Но все же возможно.

Им повезло и вскоре они уже сидели на палубе речного пароходика.

— Как я люблю Неву... — сказала Лиля.

— А Москва-реку?

— Я вообще всякую воду люблю... Но Нева особенная.

— А Волга?

— Волгу я не видела.

— А Енисей вы видели? А Ангару? Вот где красота! Но красивее Байкала нет вообще ничего...

— Вы сибиряк?

— Нет, я москвич. Но в Сибири бывал.

— Но там красота другая, дикая, а Нева... Она по сути ведь тоже дикарка, а ее заперли в каменную клетку, и она бунтует... Эти наводнения.... Смотрите, вода в ней не похожа на воду других городских рек... Я видела, например, Рейн и Майн. Тоже красиво, но не то...

— А вы питерская?

— Нет, я тоже москвичка. Просто мама уже довольно давно переехала в Питер. Артем, а я ведь ничего о вас не знаю, даже фамилии.

— Позвольте представиться, мадам: Артем Васильевич Плетнев. По образованию геолог, работаю в Газпроме менеджером. Этой специальности обучался в Штатах. Разведен. Есть дочь десяти лет, зовут Вероникой. Дочь при разводе осталась с женой, но жена два года назад умерла, и теперь она живет со мной. Вот такие пироги, Лиля.

— Да, ответ исчерпывающий. А я...

— А вы развелись в день нашего знакомства, бывший муж кусает себе локти и вы самая очаровательная женщина, какую я встречал в своей жизни.

Он так подробно рассказал о себе, но не хочет больше ничего знать обо мне, тем самым как бы говорит: у нас может случиться роман, но роман без последствий, у меня есть дочь, жениться я не хочу, но надо же мне с кем-то спать, а вы, разведенная и бездетная, как нельзя лучше подходите на эту роль. Ну что ж, я тоже меньше всего хочу замуж, а уж тем более в такой ситуации, а закрутить роман... Тоже неплохо. Но настроение упало. И почему это все мужчины полагают, что все сразу во что бы то ни стало жаждут выйти за них и выставляют защитные сооружения. Это скучно.

— Так, а теперь ваша очередь рассказать о себе. Мне мало тех сведений, которые у меня есть! — улыбнулся он.

— Задавайте мне вопросы! — просияла она. Кажется, я поспешила с выводами.

— Вы кто по профессии?

— Я тоже менеджер, пиар-менеджер в издательстве.

— Любите свою работу?

— Работу — да, а вот обстановку, которая в последнее время там сложилась — нет, и подумываю сменить место... Хотя поначалу у нас чудесная команда сложилась, но... А впрочем, не хочу сейчас об этом говорить.

— А если я задам неприличный вопрос?

— Попробуйте!

— Сколько вам лет?

— Двадцать восемь, почти уж двадцать девять. А вам?

— Мне тридцать девять. Но вам я бы больше двадцати пяти не дал. Лиля, вы любите собак?

— Люблю.

— А кошек?

— И кошек. А почему вы спрашиваете? У вас есть кошки-собаки?

— Есть. Кот Респект и собака Уважуха.

— Как? — расхохоталась Лиля. — Респект и Уважуха?

— Да, это Вероника их так назвала.

— Весьма современно. Но погодите, я попробую угадать, какие они, ваши Респект и Уважуха.

— Интересно! — засмеялся он. Она так нравилась ему!

— Респект большой, породистый и очень важный, скорее всего рыжий, а Уважуха дворняжка, веселая и добродушная, некрупная, и вечно виляет хвостом. Брешет заливисто и не всегда по делу.

— Лиля, вы что, их знаете? — вдруг испугался он.

— Откуда я могу их знать, я только что впервые о них услышала! А что, я угадала?

— В точности! Может, угадаете, какой она масти?

— Уважуха? Ну, она такая черно-коричневая с рыжими подпалинами и белой грудью, ушки мохнатые, торчком, но кончики обвисшие, а хвост пушистый, бубликом.

— Невероятно! Все в точности. Разве так бывает? — растерянно проговорил он, во все глаза глядя на нее.

— Понимаете, ваша дочка назвала их так не просто потому, что это модные словечки. У нее их вид вызвал определенную ассоциацию. И, вдобавок, у меня хорошо развито воображение.

— Но ведь породистый кот любой масти может быть важным?

— Послушайте, Артем, я не могу вам объяснить...

— А вы не ясновидящая?

— Да Боже сохрани.

— А как выглядит Вероника?

Лиля попробовала представить себе десятилетнюю девочку, пережившую развод родителей, смерть матери, наверняка, очень неглупую, достаточно развитую, видимо, с чувством юмора...

— Попробую. Она невысокая, на вас непохожа...

— Так, так...

— Нет, больше ничего не могу сказать...

— Странно, кота с собакой угадали, а девочку
нет... Она и вправду невысокая, но на меня здорово смахивает.

— Простите, Артем, а с кем же она сейчас, ваша дочка?

— С нянькой. Иного выхода просто нет. Я много работаю, часто уезжаю.

— А что, нет никаких бабушек, тетушек?

— Увы.

Глаза у него стали грустные. Он замолчал.

И кто меня за язык тянул, подумала Лиля.
Еще решит, что я жажду выйти за него и воспи-
тывать его дочь. Очень нужно! И она стала смотреть на воду.

Зачем черт меня дернул говорить о своих про-
блемах? Она теперь испугается. Хотя, что я сказал? Да ничего, в сущности. Не скрывать же
мне, что у меня есть дочь. Еще чего! Но какая
она прелестная... как ей идет все, что на ней на-
дето. И как хочется уложить ее в койку... Думаю,
это не представит труда. Заморочу ей голову,
проведу чудный день, ни о чем не думая, а в
Москве встречу на вокзале, отвезу домой и она
не станет кочевряжиться. Да и вряд ли будет особенно стремиться к браку со мной. Зачем ей чужой ребенок, она, небось своего жаждет. Муженек бывший производит впечатление эдакого лю-

бителя легкой жизни, наверняка, не хотел детей. Ей скоро двадцать девять, пора уж задумываться о детях... А я для этого не гожусь, мне бы Веронику вырастить.

И чего он так глухо замолчал? Обиделся? На что? Я же ничего такого не сказала... наверное, это больная тема... Зря он приперся в Питер... А так приятно все началось... Вот на первой же пристани сойду. Ну его...

— Лиля, вы когда едете в Москву?

— Послезавтра.

— У вас отпуск кончается?

— Нет, еще три дня будет. Но мама уезжает на «Кинотавр».

— А вас с собой не берет?

— Господи, зачем? — искренне удивилась Лиля. — Я терпеть не могу тусовки, а маму хлебом не корми.

— Или Полина не хочет демонстрировать столь взрослую дочь?

— Зачем вы так? Мама никогда меня не скрывала. Все знают, сколько ей лет, но она все равно самая красивая.

— Ох, простите, я сказал что-то не то...

— Почему? Просто повторили вполне стереотипное представление о красивой актрисе. А она, между прочим, очень хорошая мать. Трех женихов мне тут заготовила, — сказала она с улыбкой, решив свести разговор к шутке, но он вдруг побелел.

— И что? Как женихи? — недобро прищурился он.

— Разные...

— Выбираете?

— Да нет, я всех забраковала.

— Есть еще кто-то на примете?

— Нет. Я вообще о новом браке думать не желаю! Сыта по горло. И наслаждаюсь свободой! Могу делать что хочу, это так прекрасно!

— А что вы хотите сейчас, в данную минуту?

— Сойти на берег.

— Почему?

— Надоело!

— Что вам надоело?

— Да все! Вы тут сидите и думаете, как бы затащить ее в койку без последствий, а то она же непременно захочет замуж, а еще не дай Бог ребенка, а у меня уже есть дочь. И вообще я не хочу жениться... — разозлилась вдруг Лиля, сама себе удивляясь. Она всегда была тихой и предпочитала не идти на обострение.

— Лиля, вы чудо! Только все как раз наоборот!

— То есть?

— Я как раз мечтал бы на вас жениться, я чувствую, мы были бы хорошей парой, но... Вероника очень трудная девочка... Она уже избавилась полгода назад от одной... претендентки... А я вовсе не хочу подвергать вас таким испытаниям... А что касается койки... тут вы угадали. Сплю и вижу, как бы это осуществить.

Она вдруг засмеялась таким смехом, что у него дыхание остановилось.

— Лиля! — прошептал он хрипло. — Лилечка!

— Что?

Они сидели друг против друга. Он быстро пересел к ней и обнял за шею, прошептал внезапно пересохшими губами:

— Хочу тебя, только не вздумай сказать мне «цыц».

На палубе народу было совсем мало. Она на мгновение прижалась к нему. И шепнула:

— Послезавтра вечером я буду в Москве. Приходи.

— Я тебя встречу, да? Ты «Авророй» приедешь?

— Да.

Он коснулся губами ее шеи, она вздрогнула.

— Бабуля, смотри, дядька с тетькой целуются!

Возле них стоял мальчик лет четырех и с любопытством на них смотрел. Лиля отпрянула от Артема. Залилась краской и глупо хихикнула.

— А ну кыш отсюда! — добродушно произнес Артем.

— Молодые люди, постеснялись бы! — раздался сзади голос бабушки. — Тут как-никак дети!

— Действительно безобразие, сплошной секс, — сказал еще кто-то.

Артем хотел огрызнуться. Но Лиля легонько сжала его руку. Не связывайся.

На первой же пристани они сошли.

— Я жутко проголодался! — шепнул он. Это прозвучало до ужаса интимно. Лиля задрожала.

— И я, — так же интимно призналась она. Они посмотрели друг на друга и расхохотались, и мгновенно все существовавшие меж ними барьеры рухнули. Он взял ее за руку и куда-то повел.

— Ты куда меня ведешь, такую молодую?

— Я веду тебя в сарай, иди, не разговаривай! — в тон ей ответил он.

Они свернули за угол и Лиля увидела ресторан под названием «Караван-сарай».

— Ты знал?

— Конечно, я ж не строю из себя ясновидящего! Тут очень вкусно кормят.

— А шашлык тут дают?

— Любишь шашлык?

— Обожаю!

Однако ресторан был закрыт.

— Вот тебе и раз! — огорчился Артем. — Шашлык отменяется!

— А что будет? Чем ты будешь меня кормить?

Он на мгновение задумался.

— Я не так уж хорошо знаком с питерскими ресторанами. «Караван-сарай» знаю, поскольку контора, с которой я тут имею дело, находится рядом. На Невском, мне сказали, рестораны неважнецкие. Ох, я вспомнил один на канале Грибоедова, как раз возле мостика с грифонами! Едем туда!

— Знаю, я была там с мамой, там вкусно, только я не помню, как он называется!

— И я не помню!

Но они никак не могли поймать машину. Артем медленно закипал.

— Ну почему в Москве достаточно поднять руку, а тут... Да я с голоду подохну!

— Подожди, я сейчас!

Лиля подошла к немолодой женщине, которая как раз вышла из Художественного салона.

— Простите ради Бога, — улыбнулась она.

Женщина тоже улыбнулась.

— Вы не скажете, где тут неподалеку есть какой-нибудь приличный ресторан или кафе. Мы проголодались...

— Тут совсем рядом очень неплохое заведение. Сейчас пройдете метров двести и свернете направо. Там увидите. Называется «Фрау Грета».

— Спасибо большое! Артем, пошли, я все узнала, вон за тем углом ресторан «Фрау Грета».

— Там наверняка есть пиво! Ты пьешь пиво?

— Очень люблю, особенно темное.

— И я! Вот здорово!

С ним приятно идти, легко, Денис вечно меня обгонял, сердился... А с этим хорошо...

— С тобой хорошо идти, — сказал он, — в одном темпе получается...

— Я тоже об этом подумала, не со всеми так...

Ресторанчик «Фрау Грета» оказался небольшим, уютным.

— Вы вдвоем? — спросил добродушный толстяк — метрдотель.

— Да.

Он окинул их оценивающим взглядом и провел вглубь зала, к столику за увитой искусственной зеленью решеткой.

— Сразу просек, что мы влюбленная пара, — улыбнулся Артем. — Ведь мы влюбленная пара, да?

— Судя по тому, какие глупости мы говорим, безусловно, — счастливо засмеялась Лиля.

— Ты знаешь, что ты... прелесть?

— Надеюсь, этот вопрос не требует ответа?

Он покачал головой.

— Я сегодня уезжаю.

— Каким поездом?

— Стрелой.

— Я тебя провожу.

— Ни в коем случае.

— Почему?

— Я не хочу, чтобы ты ночью возвращалась одна. Я просто не усну, а мне необходимо выспаться, у меня в Москве дел невпроворот и надо еще устроить так, чтобы я мог тебя встретить. Да, раз уж мы заговорили об этом, я хочу предупредить... У меня очень много работы, день практически ненормированный...

— У меня тоже.

— В издательстве? — удивился он.— Почему?

— О, у нас вообще все малопредсказуемо. Авторы разные бывают и столько начальства, что иной раз сам черт ногу сломит. Так что я далеко не всегда бываю свободна по вечерам. Презентации, то, се...

— А как твой... муж к этому относился?

— Ему иногда это было удобно.

— Но как я понял, обед у него всегда был? — засмеялся Артем.

— О, это святое! Мне бабушка внушала, что обед должен быть всегда. Но теперь — фигушки! Я могу поесть на работе.

— А я?

— Но у тебя же ненормированный рабочий день. Я приготовлю ужин, а ты не придешь?

— Лиля, я схожу с ума!

— Почему?

— Я просто не понимаю, как я мог раньше без тебя жить? Как будто и не жил...

— Мели Емеля, твоя неделя.

— А где Лилёнок? — спросила вернувшаяся вечером Полина Сергеевна.

— На свидание умчалась, — сообщила Софья Яновна.

— С кем?

— Не знаю, не доложилась. Позвонил ей кто-то роскошным баритоном, она вся засияла, начепурилась как на большой парад и унеслась.

— Интересно... Даже не сказала, когда вернется?

— Поля, она уже большая девочка.

— Большая... Увы... Но как тебе показалось, это старое знакомство?

— Откуда я знаю?

— А то ты не подслушивала по второй трубке! Так я и поверю!

— Ну, он сказал, что его зовут Артем и что она якобы его спасла от чего-то там... Да, он еще сказал, что знаком с тобой...

— Артем? — задумалась Полина Сергеевна. — Не помню такого, а впрочем, всех разве упомнишь... И в котором часу она ушла?

— Да не поздно, часу еще не было.

— Ничего себе, уже десять.

— Счастливые часов не наблюдают!

— Твоими бы устами...

— А ты позвони ей, только не говори, что я тебе рассказала.

— А, старая сплетница, боишься? — засмеялась Полина Сергеевна. — Но звонить не стану. Мало ли что там у них в этот момент... Девочка-то уж взрослая... Боже, как время летит, я ведь уже сто раз могла стать бабкой. Баба Поля... гадость какая...

— Ты есть-то будешь?

— А что ты мне предложишь?

— Куриную грудку с салатом и простоквашу с корицей.

— Простоквашу буду. А грудку не желаю! Скучно...

Лиля вернулась в половине одиннадцатого. Дверь ей открыла Полина Сергеевна.

— Лилёнок! Ты откуда?

— Мамочка, я так устала. Ноги просто отваливаются.

— Ты целый день шаталась на таких каблучищах? Или ты не шаталась?

— Я и шаталась и каталась, и сидела... — счастливым голосом ответила Лиля и рухнула в кресло.

— На чем каталась? Где сидела, а главное с кем?

— Мамочка!

— Где ты его взяла?

— Случайно познакомилась в Москве накануне отъезда.

— Расскажешь?

— Мама!

— Что, это роковая тайна?

— Да нет... просто я хочу сначала принять душ...

— Боже мой! Посмотри, как ты стерла ноги!

— Да? Ой, правда, а я даже не почувствовала...

— Немедленно в душ, возьми там антибактериальное мыло, а после душа сразу ко мне. Это надо немедленно обработать, не дай Бог заражение. У меня так было... Давай-давай, все остальное потом!

Как приятно, когда мама о тебе заботится! Надо же, я и не почувствовала, как ноги стерла... Совсем крыша улетела... А без крыши так здорово! И вообще, наверное с развода у меня началась новая полоса в жизни... Светлая...

Полина Сергеевна уложила дочь на свою кровать, протерла все стертые места спиртом, намазала какой-то мазью.

— Ну как?

— Приятно, мамочка!

— Теперь полежи минут пятнадцать, чтобы мазь впиталась. Бедные мои ножки. Дай мама подует... — она действительно подула. — Лилёнок, ты влюблена?

— Кажется, да.

— А он?

— И он, кажется, да.

— Я не про то, еще бы он в тебя не влюбился! Он кто, чем занимается?

— Работает в Газпроме, менеджером. А что он там конкретно делает, я все равно не пойму.

— Сколько ему лет?

— Тридцать девять.

— А звать его как?

— Артем. Артем Плетнев. Да, он сказал, что вы знакомы.

— Артем Плетнев... Нет, не припоминаю...

— Ой, дай мне мобильник, я его сфотографировала. Вот, посмотри.

— А, теперь вспомнила, у меня на лица память лучше, чем на имена. Мы действительно встречались, кажется, у Валевских. Интересный малый. Он женат?

— Мама, я замуж не хочу!

— Это другой вопрос. Все-таки он женат?

— Нет. Он в разводе. У него есть дочь, десять лет, мать ее умерла уже после развода. Вот тебе все сведения.

— Несчастный ребенок! Но тебе надо своих детей рожать. Давно уж пора.

— Мам, я ненавижу слово «надо»! Когда-то ты уверяла меня, что мне «надо» замуж! Я поверила. И что хорошего из этого вышло? Столько лет жизни коту под хвост!

— Ну, вот, я же и виновата!

— Нет, виновата я, потому что послушалась. А больше не хочу! Я буду жить не так как «надо», а как захочется.

— Ишь чего выдумала! — засмеялась Полина Сергеевна. — Не выйдет у тебя жить как хочется!

— Почему это?

— У тебя слишком развито чувство долга. Ты всегда найдешь приключения на свою изящную задницу!

Слава Богу, сосед попался неразговорчивый. Артем лег, закинул руки за голову, закрыл глаза и сразу увидел Лилину улыбку. Я женюсь на ней. Это чепуха, что она не хочет замуж. Захочет! А Веронику я сумею обломать! Надо только ее аккуратненько подготовить, потом познакомить с Лилей, Лиля наверняка ей понравится. Она такая обаятельная и, кажется, совсем неглупая... Ну, а не пожелает Вероника найти общий язык с моей женой, я отправлю ее учиться в Англию или Швейцарию. Ничего страшного. Пусть привыкает считаться не только с собой. Да и воспитание получит хорошее. А то я ее почти не вижу, а чему няньки научат, еще неизвестно. Да, правильно. Надо только поговорить с ней... Всякому человеку можно объяснить какие-то вещи, если набраться терпения. И любви. Именно любви Веронике, видимо, и не хватает и ей кажется, что если я женись, ей совсем ничего не останется... А я разве не люблю свою дочь? Да нет, люблю, конечно, просто не умею проявить эту любовь, боюсь рассиропиться, ее рассиропить... Мне самому мало досталось родительской любви, вот я и не умею... А Лиля, наверное, умеет, судя по ее словам, Полина хорошая мать, и бабушка там добрая была... Черт, был бы у меня сын, наверное, было бы легче... Словом, загнобить Лильку я не позволю. А что Вероника Лариску изжила, так и слава Богу. По заслугам, как говорится. Дура набитая, вздумала с ребенком тягаться... Кто кого... С ребенком, конечно, надо тягаться, но с умом, а не так... Словом, все к лучшему в этом лучшем из миров, подумал он и крепко уснул.

Софья Яновна набила целую сумку всякими вкусными вещами. Пирожки, какое-то фантастическое блюдо из баклажан, жареная телятина, малосольные огурчики собственного засола.

— Господи, зачем? — ужасалась Лиля. — Это в дороге испортится!

— Не испортится, не волнуйся! А кавалера чем кормить будешь? Что у тебя в холодильнике есть? Пельмени из магазина?

— Какого еще кавалера?

— Да ладно, мне уж Поля сказала, что тебя кавалер встречает. Небось голодный будет. А ты его и покормишь.

— Ну что с вами делать! — засмеялась Лиля.

— Спасибо сказать, а больше ничего и не требуется.

Из Москвы позвонила подруга Мила.

— Лиль, ты когда приезжаешь?

— Сегодня, а что?

— Я тебя встречу! — у подруги была машина.

— Нет, не вздумай! — испугалась Лиля.

— Почему это?

— Меня встретят, — многозначительно проговорила Лиля.

— Кто? Мужик, что ли?

— Представь себе.

— Ладно, это святое дело. А кто такой? Новый или по сусекам поскребла?

— Новый!

— Молодец! Расскажешь?

— Если будет что.

— А ты чего так лаконично? Тебе говорить неудобно?

— Именно.

— Родственники?

— Они!

— Ладно, поняла. Тогда пока и жду звонка!

Лиле просто не хотелось говорить сейчас на эту тему. Она не была твердо уверена, что Артем встретит ее. И ужасно боялась сглазить. Потому и сумка с припасами до крайности ее раздражала. Она даже оставила бы ее в такси, если бы мама не повезла ее на вокзал на своей машине.

— Лилёнок, родненький, я так счастлива, что ты не придавлена своим разводом! Ты теперь понимаешь, что я права и развод — это трамплин?

— Да. Мамочка. Ты как всегда права!

— Тогда почему ты смеешься?

— У нас есть один автор, известный очень, он вдруг потребовал, чтобы на его рекламном плакате написали: «Я прав!»

— В чем прав? — улыбнулась Полина Сергеевна.

— А неважно! Он вообще считает, что прав всегда и во всем!

— И что? — заинтересовалась Полина Сергеевна.

— Мы пытались его убедить, что это не очень... умно, но он же всегда прав! Он устроил сидячую забастовку у кабинета директора. В результате напечатали этот дурацкий плакат.

— И вышло, что он-таки оказался прав?
— Но ведь глупо, согласись?
— Но он-то так не считает!

Лиля только плечами пожала.

Они стояли на перроне. На Полину Сергеевну пялились и отъезжающие и провожающие.

— Ой, извините, это вы? — спросила какая-то тетка в платочке.

Полина Сергеевна улыбнулась обворожительной улыбкой.

Женщина расплылась, погладила рукав любимой артистки и выдохнула:

— Ой, какое счастье, что я за вас потрогалась! С этими словами она ушла.

— Мам, тебя это не раздражает?

— Нет. Даже приятно. Ко мне слишком поздно пришла эта популярность, и я счастлива. Пока никаких неприятных эксцессов не было. Так что...

— Мамочка, давай прощаться, две минуты до отхода.

— Да, Лилёнок, что я могу сказать? Будь счастлива! А я с «Кинотавра», возможно, прилечу в Москву, тогда и повидаемся.

Они обнялись, расцеловались. Лиля вошла в вагон. Поезд тронулся.

— Девушка, — обратилась к ней проводница. — Это ж Полина Беркутова?

— Да.

— Ваша мама?

— Мама, — улыбнулась Лиля.

— Ох, ведь уж не молоденькая, а красивая жуть... А вы совсем на нее не похожи, хотя тоже ничего, миленькая. Но до матери далеко! Ой, вы не обижайтесь!

— А я и сама знаю, мне до мамы далеко! — засмеялась Лиля и пошла на свое место.

Артем утряс дела и поехал на дачу, к дочери. Он волновался как перед самым ответственным экзаменом. Навстречу ему, виляя хвостом и радостно взлаивая, выбежала Уважуха.

— Привет, собака! — сказал он.

В ответ на эту фразу Уважуха всегда начинала восторженно стелиться по земле и визжать.

Он вдруг успокоился.

— Вероника! Ты где?

Из-за дома выглянула нянька Надежда Митрофановна.

— Артем Васильевич! Мы вас сегодня не ждали!

— У меня выбралось несколько свободных часов, вот я и решил махнуть к вам. А где Вероника?

— Она там Респекту колтуны выстригает. Он, зараза, только ей дается, меня не подпускает.

— А, дело хорошее, полезное. Надежда Митрофановна, как у вас тут?

— Да вроде все спокойно, Артем Васильевич. Что-то стряслось, Артем Васильевич?

— Стряслось, стряслось. Вернее, может стрястись...

— Нешто вы жениться надумали, Артем Васильевич?

— Надумал, Надежда Митрофановна.

— Ох, грехи наши тяжкие... — вздохнула пожилая женщина. — Оно, конечно, хорошо, такому мужчине плохо одному, да вот... Ох, как вспомню ту историю...

— И не говорите. Только, знаете, я пришел к выводу, что права была Вероника. Права. И я даже рад теперь, что тогда так обернулось... Но сейчас совсем другой случай. Другой человек. Мне кажется, она... Лиля... сможет найти общий язык с Вероникой... Ну, а если нет...

— То что? — испуганно спросила Надежда Митрофановна.

— То я приму меры. Нельзя позволять девчонке ломать жизнь взрослым людям. Ничего, привыкнет...

— Артем Васильевич, знаете, мне кажется... если вы сейчас предупредите Нику, будет хуже...

Она заранее возненавидит вашу... невесту. Лучше вы познакомьте их как-то невзначай... ну там, в театре или еще где... Вы пойдите туда с Никой, а ваша знакомая как будто случайно там окажется.

— Господи, какой я идиот, Надежда Митрофановна! — хлопнул себя по лбу Артем. — Так и вправду в сто раз лучше. А скажите, куда бы ей хотелось пойти?

— На выставку кошек! Она уж говорила, что хочет. Вы ей сами предложите, выставка в конце недели будет. Время терпит?

— Да. Разумеется, — безумно обрадовался он. — Спасибо, спасибо вам огромное, вы мудрая женщина.

— Папа, смотри, какой я колтун выстригла! — выбежала из-за дома Вероника.

— Ничего себе колтунище! Но ты наверное редко его чешешь, вот он и свалялся, — целуя дочь, попенял он ей.

— Ничего подобного! Я каждый день чешу, а он все равно умудряется! Пап, я чего хотела спросить... В субботу в Москве будет выставка кошек, можно мы поедем туда с Надеждой Митрофановной, я там у специалистов спрошу, как быть с колтунами. Я смотрела в Интернете, но это не то, что поговорить со специалистом.

— Почему же нет, пожалуйста.

— Ох нет, Никочка, я в субботу не смогу, мне к сестре надо, давно обещала.

— Да? Тогда я сам с тобой поеду! Никогда не был на выставке кошек! А потом пообедаем в ресторане.

— В «Мак-Доналдсе»!

— Ужас! А в другом нельзя?

— Нельзя!

— Ладно, так и быть!

— Вот здорово, папа! У тебя что ли суббота свободная?

— Вообще-то нет, но Надежда Митрофановна попросила отпустить ее к сестре. И я освободился.

— Ура!

Он провел с дочерью два часа и уехал, чрезвычайно довольный, во-первых, тем, что рядом с дочкой добрая и мудрая женщина, а во-вторых, ему казалось, что теперь все получится.

Лиля надеялась, что в дороге ей опять удастся уснуть, но напрасно. И чего я так волнуюсь? Ну не придет он на вокзал и что? Моя жизнь кончится? Нет, разумеется. Она станет хуже? Неизвестно, может и наоборот. Я же его совсем не знаю. Он мне нравится? Очень. Но это не смертельно! Целуется он классно, и все-таки это еще ни о чем не говорит. Замуж я не стремлюсь, тем более у него дочь, и судя по всему, отнюдь не подарок. Тогда в чем дело? Да, лучше бы он не приехал на вокзал. Спокойнее.

Но едва поезд остановился, и на платформе грянула песня Газманова о Москве, она увидела его с огромным букетом крупных садовых ромашек. Как ему идут ромашки, мелькнуло у нее в голове.

— Лиля! — он выхватил у нее чемодан и сумку, поставил на перрон. Обнял ее: — Ну, здравствуй, родная моя!

— Привет, — пролепетала она.

— Я соскучился! Какая ты красивая... Самая красивая на свете!

— Это спорный вопрос, — засмеялась она. — Вон проводница считает, что по сравнению с мамой я так себе... миленькая.

— Она дура, ничего не понимает! Ты похожа на Бэмби... Нет, ты похожа... Ты ни на кого не похожа, — шептал он восторженно, совершенно позабыв, что они стоят на перроне.

— Артем, пусти! Кругом же люди...

— Ох, извини... Я с ума сошел от радости, когда тебя увидел. Ничего, что я купил ромашки? Ты не обиделась?

— На ромашки? — засмеялась она. — Обожаю ромашки.

— Я думал купить розы...

— Нет, ромашки лучше... Вот сядем в машину, я погадаю...

— Не надо! И так ясно — любит!

— А вдруг выйдет — плюнет или к черту пошлет?

— Не выйдет!

— А вдруг?

— Гадай, на худой конец выйдет: к сердцу прижмет!

Усевшись на сиденье, она первым делом вытащила из букета одну ромашку.

— Любит, не любит, плюнет, поцелует, к сердцу прижмет, к черту пошлет, любит, не любит...

— Иди к черту! — воскликнул он, схватил ее в объятия, прижал, поцеловал и прошептал: — Люблю, люблю, люблю!

— Ты выезжать думаешь, козел? — крикнул ему кто-то.

— В самом деле, поехали уже, Артем!

— Спасибо, хоть козлом не назвала, — засмеялся он, с трудом уняв дрожь.

— Все впереди!

— Лилька, я не только люблю тебя, я еще тебя и обожаю! С тобой так легко, так радостно...

— Артем, пристегнись, а то оштрафуют.

— Ох, да, забыл. Ненавижу эти дурацкие ремни.

— Я с некоторых пор ненавижу все, что ограничивает мою свободу!

— Смелое заявление, бунтарское! Слушай, а ты не голодная, может, поедем ужинать?

— Нет, у меня полная сумка всякой вкусной всячины. Надо ж это съесть!

— Здорово, — обрадовался он. — Значит, к тебе?

— Значит, ко мне.

Утром, когда Артем ушел, Лиля долго стояла у зеркала. Оно без обиняков говорило ей, что она на свете всех милее, всех румяней и белее. Как мне идет эта пушистая светлая прическа, эта розовая помада, а главное... Мне идет Артем! И я такая счастливая... Ее так распирало от счастья, что она вдруг пустилась в пляс по квартире, что-то напевая про себя. Когда-то она училась в балетном училище, потом ее оттуда отчислили за недостаток музыкальности, о чем она никогда не жалела. И теперь сама себе командовала: «Большой батман! Жете! Па-де-бурре»! И от души хохотала, потому что у нее ни черта не получалось! Потом вдруг опомнилась, что я творю, идиотка? Надо просто позвонить Милке. Она работает дома.

— Мил!

— О! Приехала? Как мама?

— Мама цветет, я приехала и жажду с тобой повидаться?

— Есть новости? У меня тоже! Через час в «Полосе»! Кофейку попьем!

Они одновременно подошли к кафе.

— Лилька, это ты? Тебя просто не узнать! Что ты с собой сделала? Выбилась в блондинки? Черт, тебе здорово идет, никогда бы не подумала... И глаза как-то по-другому накрашены... Мама постаралась?

— Конечно! Я бы никогда не решилась.

— А с глазами что? Тут не мамой пахнет... Или мама кого-то сосватала?

— Пыталась. Милка, Артем туда приезжал!

— Артем? Кто такой Артем?

— Ну тот, который... в квартиру забежал.

— Ух ты! Кайф! А как он тебя нашел?

Лиля рассказала подруге все, что случилось.

— Слушай, какая красивая история! Как в кино! И что теперь?

— Любовь, Милочка, любовь!

— Погоди, любовь — штука временная, а дальше?

— Он хочет познакомить меня со своей дочкой.

— Зачем это?

— А я тебе не сказала? Он мне предложение сделал.

— Когда?

— Сегодня утром. А в субботу мы встречаемся на выставке кошек.

— Что за бред? При чем тут кошки?

— Девочка обожает кошек и любящий папа поведет ее на выставку. А я тоже буду там, как бы случайно.

— Так, понятно. А если дитя не утвердит твою кандидатуру?

— Почему? — искренне удивилась Лиля. — Обычно дети ко мне хорошо относятся...

— Лиль, ты дура или как?

— Вероятно, дура. Объясни!

— Девчонка ревнует папашу ко всем, сама говоришь, на выставку кошек позвали... Значит, просто сказать ей, что у него появилась любимая женщина, он боится.

— И правильно. Он боится травмировать девочку и без того пережившую более чем достаточно. По-моему, это свидетельствует о его тонкости и деликатности. К тому же и мне девочка может не понравиться...

— Да ладно, тебе-то она понравится. Вот что подруга, я на эту выставку пойду с тобой!

— Зачем это?

— Затем, что если там выйдет какая-нибудь бяка, ты, по крайней мере, будешь не одна. К тому же гораздо естественнее будет, если мы туда явимся вдвоем. Две подружки пришли полюбоваться на кошечек. А если ты там будешь одна, девчонка сразу все просечет. А еще я буду жутко противная, и на моем фоне ты ей покажешься ангелом!

Лиля расхохоталась.

— А как ты будешь изображать противную тетку?

— «Барышню-крестьянку» читала? Буду изображать мисс Жаксон.

— Милка, ты чудо!

— Да! Я чудо! Только почему-то кроме тебя об этом мало кто подозревает. Кстати, если я увижу, что девчонка не смотрит на тебя волком, я быстренько слиняю и оставлю вас втроем.

— Милка, у меня нет слов!

— А ты уже хочешь замуж за него?

— Замуж? Нет, не хочу. Но я хочу, чтобы Вероника не стояла между нами.

— А ему обязательно, чтобы замуж?

— Наверное, он предложение сделал.

— Лилька, не торопись. Ты уже один раз обожглась.

— Я сказала ему, что официально оформить наши отношения согласна только через год.

— Молодец, хвалю!

— Мил, а теперь твои новости?

— Ну, они не столь глобальные. Я застукала Ваньку с молоденькой девкой и с полным основанием выгнала его.

— Так слава Богу!

— Но он-то не выгоняется. Клянется, что я все не так поняла, а что там можно не так понять? Пришла домой, вхожу в комнату, он на кресле со спущенными штанами, а она на нем сидит. В самый разгар застала!

— Скажи спасибо, хоть не на твоей постели!

— Ага, кровать выбросить было бы сложнее.

— А кресло выбросила?

— Ага! Я Ваньку в шею вытолкала, а кресло за ним. Оно тяжелое, но я, видно, от злости даже не почувствовала. И, знаешь, через полчаса выглянула на площадку, а кресло уже скоммуниздили!

— Да... Круто! А что Ванька?

— Ходит, под дверью канючит, я замки сразу поменяла.

— Да, ты крутая, Милка.

— Я брезгливая. Вот, думаю, кровать все-таки надо будет сменить, наверняка, там тоже девицы всякие валялись. Нет, ты мне скажи, почему они такие скоты?

— Вопрос риторический!

— Конечно.

В пятницу утром Лиля вышла на работу. Едва она открыла дверь, как все с изумлением уставились на нее.

— Лилька, это ты? — не поверила своим глазам Наташа.

— Ой, что ты с собой сделала?

— Лилька, отвал башки!

— Девчонки, да она влюбилась, гляньте, как сияет! — сообразила Марина, пиар-директор.

Лиля смущенно рассмеялась.

— От вас ничего не скроешь! Ой, девчонки, я по всем соскучилась! Как тут наш дурдом?

— О! — в один голос воскликнули все.

— Понятно! А я в холодильник торт поставила! — сообщила Лиля.

— Торт это хорошо, но пока надо работать! Лиль, тебе тут обзвонились из какого-то прибалтийского журнала...

— Да, знаю, они хотят интервью с Васильковой.

И она включилась в работу. Но ни на секунду не забыла, что вечером должен приехать Артем. Он предупредил, что на ночь не останется, будет ночевать на даче, чтобы с утра поехать в город с дочкой. Лиля согласилась. Но решила не предупреждать его, что будет не одна. Чем больше она об этом думала, тем страшнее ей становилось. Поэтому присутствие Милки казалось ей более чем уместным.

Артему тоже было страшновато. Как поведет себя Вероника? И он молил Бога, чтобы она и

Лиля понравились друг другу. Если Вероника начнет фордыбачить, он примерно уже знал, что делать. А вот если Лиля? Их отношения еще не так далеко зашли... Она вполне может подумать, что ни к чему ей такая радость... Но она же любит меня... Или нет? Еще нет? Ничего, полюбит, никуда не денется, если только... Если Вероника... Ах, ты Господи, и почему так все сложно, когда влюбляешься? Она сказала, что выйдет за меня не раньше, чем через год... Это что же, испытательный срок? Довольно унизительно, между прочим... С другой стороны, ее можно понять, она только что развелась и сразу с головой кидаться в омут нового брака... Но за год столько воды может утечь... Я могу ее разлюбить, а она наоборот... и что тогда делать? Или она меня разлюбит, а я увязну в этой любви по уши? Я дурак, не надо было вообще заговаривать о браке... Но она так прелестна, ее запросто уведут... Все дело, видимо, в том, как мы познакомились... Чертовски романтическая ситуевина... Да еще этот муженек ревнивый появился... Сейчас самое милое дело напиться. А может, вообще отменить эту дурацкую поездку? Обойдется Вероника без выставки кошек. Скажу, что занят. Хотя, можно в конце концов дать отбой Лиле, а с Вероникой просто поехать к кошкам. Пусть получит удовольствие. Так все будет проще. Но что сказать

Лиле? Наврать что-то? Но где гарантия, что она не решит все равно поехать на выставку? И тогда вообще хрен знает что получится. И почему я всегда так спешу? Чего я боюсь не успеть? Трахнуть очередную красотку? Но Лиля не очередная красотка... Я ее люблю... Нет, не давши слова, крепись, а давши, будь добр, держи его, дружище Артем!

Лиля ужасно волновалась. Ей так хотелось понравится этой незнакомой девчонке, и хотелось, чтобы девчонка понравилась ей. Она плохо умела притворяться. Если девчонка противная... Нет, нельзя себя так настраивать. В конце концов, она просто несчастный ребенок. И ни в коем случае не нужно мне даже при самых благоприятных обстоятельствах после выставки куда-то с ними тащиться. Ни в коем случае! Не надо, чтобы девочка хоть что-то заподозрила. Слава Богу, Милка будет рядом. Какая блестящая идея!

Утром Лиля долго наводила красоту, медленно пила кофе под песенки программы «Жизнь прекрасна». Черт побери, жизнь действительно прекрасна... когда можно спокойно посидеть в субботу утром, не думая об обеде и ужине. Эта мысль придала ей уверенности. Что ж, если, как выражается Милка, Вероника «не утвердит ее кандидатуру», значит, будем просто встречаться, пока кому-то из нас это не надоест. За каким чертом нужно выходить замуж? Захочу родить от него, рожу! Кто мне помешает? А если выйти замуж, могут по этому поводу начаться трагедии. Зачем мне это?

Короче говоря, когда за ней заехала Мила, Лиля была совершенно спокойна.

— Мандражируешь? — спросила Мила.

— Ни капельки!

— С чего это?

Лиля изложила ей свои здравые мысли.

— Лилька, ты здорово помудрела! Все правильно! Но, главное, теперь уж обязательно все получится!

— Да не надо мне!

— Именно поэтому!

— Так, а где тут парковаться, скажите на милость? Лиль, близко не получится!

— Ну и что? Пройдемся, погодка хорошая. А вот, кстати, машина Артема. Значит, они уже здесь.

— Вот этот «Лексус»? Круто! Он, наверное, не просто менеджер, а топ-менеджер.

— Какая разница...

— Довольно ощутимая разница в доходах. Впрочем, тебя это всегда мало трогало.

— Да уж!

— Но все-таки это лишний плюс ему.

Вероника была в восторге! Каких только кошек тут не было! Она замирала возле каждой клетки. Но особенно ей нравились огромные мэйн-куны. Такие красавцы! А еще скотиш-фолды! От одного такого котенка, черненького, круглоголового, она просто глаз не могла оторвать.

— Папаша, купите дочке котенка! — сказала хозяйка.

— Да у нас уже есть кот, — вздохнул Артем, чувствуя, что без покупки они вряд ли отсюда уйдут.

Вероника молчала. Потом шагнула к другой клетке.

— Слушай, а ты же хотела консультироваться насчет колтунов Респекта, — напомнил он ей, шаря глазами по огромному залу. Черт возьми, они с Лилей как-то не сообразили договориться о месте встречи, а тут ничего не стоит потеряться.

— Да, пойдем к персам! — решительно тряхнула головой Вероника.

Она тут же вступила в оживленный разговор с пожилым дядечкой, хозяином громадного палевого котищи с идеально расчесанной шкуркой. Потом вытащила блокнот, стала что-то записывать...

— Папа, надо купить вот такую щеточку и ножницы...

— Вот, возьми деньги, а я пойду покурю.

— А ты не потеряешься?

— Ты свой мобильник не забыла?

— Нет, конечно!

— Тогда не потеряемся. А еще лучше ты жди меня вон у того стенда.

— Хорошо.

Он стал быстро пробираться к выходу. Хотя трудно было равнодушно проходить мимо обворожительных котят всех пород и мастей. Лили нигде не было.

Неужели струсила, не пришла? Или с ней что-то случилось? Сейчас позвоню.

— Я выйду покурю, ладно? — сказал он тетке на контроле.

— Идите, только билетик не потеряйте.

Он вышел и тут же увидел Лилю. Она быстро шла навстречу, под руку с какой-то девицей. Что это за номера?

— Лиля! — бросился он к ней.

— Привет, Артем! Ты что, один?

— Нет, вышел покурить.

— Мила, позволь тебе представить, это Артем, а это моя подруга Мила.

— Очень приятно, — одновременно сказали оба и обменялись рукопожатием.

— Я подумала, так будет естественнее, — шепнула Лиля.

— Да, пожалуй... — не мог не согласиться он.

— Простите, Артем, я в курсе ваших затруднений, а потому предлагаю изобразить, что ваша знакомая — это я.

Артем нахмурился. Ему не понравилось, что какая-то раскрашенная очкастая девка уже в курсе «их затруднений». Да еще претендует на знакомство с ним.

— Впрочем, это ваше дело, — поспешила добавить Мила.

Едва они вошли в зал, как к Артему кинулась дочь.

— Папа, папа, ну где ты? Идем скорее, папа, там такой котенок, папочка, купи мне его!

— Погоди, Ника, я тут встретил знакомых... Дамы, вот, это моя дочка Вероника, прошу, как говорится, любить и жаловать!

Восторг в глазах девочки мгновенно погас, взгляд стал тяжелым и недружелюбным. Она сразу уставилась на Лилю.

У Артема стало нехорошо на душе.

— Ника, поздоровайся, — холодно сказал он, уже четко понимая, что затея с треском провалилась.

Вероника молчала.

— Ника!

Ноль внимания.

— Артем Васильевич, а к чему, собственно, Веронике с нами знакомиться, — звенящим от огорчения голосом проговорила Лиля. — Вряд ли мы еще встретимся. Не надо принуждать ребенка! Всего доброго, идем, Милка!

Она взяла ошалевшую Милу за руку и потянула вниз, к кошкам. Уйти сразу показалось ей чересчур демонстративным.

— Ты что себе позволяешь? — прошипел Артем.— Как ты себя ведешь? Что люди подумают?

— Все понятно, папочка! А я-то, дура, думала, папа со мной поедет на выставку, папа меня любит, а ты... — она шмыгнула носом, почти всхлипнула. — Ну и на которой из них ты решил жениться? На очкастой или...

— Или! — резко сказал он. — Я не потерплю...

— И тебе ее не жалко?

— Что?

— Ладно, проехали. Ты мне котенка, конечно, уже не купишь?

— Еще чего! За такое поведение тебя отлупить мало! И вообще, все, поехали, хорошенького понемножку!

— Ты не побежишь за ней? Вдруг она обиделась?

— Если обиделась, то не на меня! И все, закрыли тему! Смотри, как бы тебе об этом не пожалеть!

— О чем? Я слышала, как ты дяде Саше говорил, что даже рад, что Вероника избавила тебя от Лариски. Потом еще мне спасибо скажешь! — сварливым неприятным голосом сказала девочка.

Ему хотелось дать ей подзатыльник.

— Куда мы едем?

— На дачу!

— А в «Мак-Доналдс»?

— А ты с ума не сошла? После таких номеров еще в «Мак-Доналдс»!

— Там же дешево!

— Дело не в цене.

— А ты забыл, что Надежды сегодня до вечера не будет? Тебе все равно придется со мной на даче торчать.

— Смотри, допрыгаешься!

— А что ты мне сделаешь? Бить будешь?

— Охота была! Я просто отправлю тебя учиться за границу, в закрытый пансион. Там из тебя дурь-то быстро вышибут.

— Я, папочка, давно знаю, что ты только случая ждал, чтобы от меня избавиться! — дрожащим голосом проговорила девочка.

Он узнал плаксивую интонацию ее матери, до крайности его раздражавшую в свое время.

— Не выдумывай и не прикидывайся бедной сироткой.

— А зачем мне прикидываться? Я и есть сиротка. Мама умерла, а папа только и мечтает сбагрить меня подальше.

— О! Я дам тебе совет, когда вырастешь, иди-ка ты в политику. Ты классный демагог!

— А что такое демагог?

— Загляни в Интернет.

Довольно долго они молчали.

Артем кипел. А Вероника тихо торжествовала. Кажется, победа осталась за ней. И никуда папа ее не отошлет! Ему эта его тетка не позволит! Ее совесть замучает. Она из таких. Это не Лариска, у той глаза были как гвозди, а у этой несчастненькие.

Артем был зол и голоден. Он подъехал к первому попавшемуся ресторану.

— Идем!

— Не хочу, хочу в «Мак-Доналдс».

— А я тебя не спрашиваю, идем!

— Только я все равно там есть не буду!

— Твое право. А я голоден.

Им принесли меню. Вероника лениво листала его. Подошел официант.

— Вы уже выбрали?

— Да, — ответил Артем. — Мне, пожалуйста, суп-пюре из белых грибов, стейк из семги и кофе-эспрессо, большую чашку. И еще бутылочку воды без газа.

— А девочка что будет?

— А мне, пожалуйста, тирамису, мороженое с вафлями и вишневый пирог.

Официант растерянно глянул на Артема. Тот только пожал плечами.

Вероника ждала другой реакции.

Артему принесли суп. Он накинулся на него. Утолив первый голод, он немного успокоился. Я, кажется, понял. Не надо обращать внимания на выходки дочери, тогда ей быстро надоест кочевряжиться.

— Тирамису тут невкусное.

Он опять только пожал плечами.

— Пап, знаешь, я подумала, ты если хочешь, женись на этой своей... Она нестрашная, скорее несчастненькая... И скоро тебе надоест. Или я ей надоем, и она тебя бросит.

Я ее пристукну! Но он взял себя в руки и промолчал.

— Ты теперь со мной не разговариваешь?

Он молчал.

— Ну и пожалуйста!

Она надулась.

Я совершенно не понимаю, что с ней делать. Нельзя же, в самом деле, относиться к ней, как к взрослому разумному человеку. Но мне про-

сто неохота с ней разговаривать. У нее сейчас
такое неприятное злое лицо... Но она же моя
дочь и в самом деле сирота... Она боится маче-
хи... И защищается, как умеет. В конце концов
Лиля вовсе не стремится замуж, так может, будем пока так встречаться? Что называется, и
волки будут сыты и овцы целы... И, конечно,
никуда я Веронику не отправлю. Это значило
бы навсегда озлобить ее. Но наказать ее все-таки надо, безнаказанность ни к чему хорошему не
приводит. Для начала, я просто не буду с ней
разговаривать, скажем, недели две. И ни в какую Турцию ее не отправлю. Проведет все лето
на даче. Не страшно. Пусть знает, что за гадости надо отвечать!

— Лилька, смотри, какой котенок! — ахнула
Мила.

— Мил, знаешь, я, наверное, пойду. Мне что-
то все не в радость!

— Правильно! Я тоже пойду, а то не ровен час
куплю котеночка, а что мне с ним делать, верно?
Пошли, подруга.

Они вышли на улицу.

— Знаешь, Лилька, может, все и к лучшему!
Девчонка жутко противная. А он от тебя никуда не денется. Крути роман, радуйся жизни, а
на фиг это семейное счастье с таким подароч-

ком? А захочешь своего, рожай! Я всегда помогу. Да и все друзья помогут. В наше время это нормально.

Лиля молчала. У нее в горле стоял комок.

— Но ты молодчина, как круто вырулила! Мол, незачем нам знакомиться! А я, честно сказать, растерялась от хамства.

— Это потому что ты в издательстве не работаешь, привычки к хамству нет, — горько усмехнулась Лиля. — У нас иной раз такие авторы бывают... Причем, чем бездарнее, тем наглее. Мы тут презентацию в прошлом месяце одной блондинке устраивали... Она себя светской львицей считает. Так я таких матюгов наслушалась... В конце концов тоже научилась огрызаться и ставить их на место. Кстати, вчера, первый рабочий день, все, вроде, идет нормально. Вдруг к нам в комнату, пошатываясь, входит одна такая, с позволения сказать, писательница, и заявляет громко, поставленным голосом: «Девочки, у меня книжка вышла! Я теперь звезда?» Все рты открыли. А Марина наша молча встает, берет ее за руку и выводит в коридор, а у нас там список авторов нашего издательства висит. Имя им — легион. Мы, конечно, тоже в коридор выглядываем. А Маринка говорит ей, ласково так, «Линочка, дорогая, вот список наших авторов. Из них настоящих звезд ну штук пять, максимум, а остальные просто авторы и это тоже совсем неплохо. А вы, пока что не только не звезда, но даже не звездная пыль!

— Класс! А та что?

— Она пьяная была. Заплакала.

— А кто такая?

— Мил, ты же знаешь, я имен не называю!

— Лина Светская, что ли?

— Я тебе ничего не говорила.

— Слушай, а за каким чертом издавать всякую такую хрень?

— Тайна сия велика есть!

— Они же и доходов наверное не приносят?

— Как правило, одни убытки. Но зачем начальство их берет, не понимаю. На мой взгляд, только вред для репутации издательства. Впрочем, нам, рядовым работникам, это знать не полагается. А вот общаться с ними приходится как раз нам. Удовольствие ниже среднего. А вот еще одна дамочка, живет между Москвой и Нью-Йорком, пришла к директору, выложила на стол свой силиконовый бюст и говорит: «Вова, я придумала шикарный пиар-ход! Моя следующая книжка будет улетать как горячие пирожки! Я объявляю, что выхожу замуж за Нестора Собинова, издательство устраивает мне шикарную свадьбу, пресса, телевидение, шум, гам, а потом я вдруг узнаю, что он голубой, и шумный скандальный развод! Как тебе такая идея, Вова?»

— Охренеть! Вся страна знает, что он голубой, тоже мне... — покачала головой Мила, прекрасно понимая, что Лиля ни за что не хочет обсуждать сегодняшний афронт. — Ну и что Вова?

— Она его давно уже достала. Он поднял на нее глаза и говорит: «Дорогуша, хочешь замуж за педика, флаг вам в руки! Хочешь с ним разводиться, твое право! Но издательство на эту фигню не потратит ни копейки!»

— А она?

— Она наезжает на него бюстом, и шепчет так интимно: «Вовик, но игра стоит свеч, все мои книжки улетят сразу!»

— А он?

— А он отодвинулся от бюста и говорит: «Дорогуша, все твои говеные книжки не стоят и тысячной доли того, во что обойдется такая пиар-акция. И вообще, дам тебе совет: кончай дурью маяться, выйди замуж и рожай детей, пока не поздно. Ты величина дутая, запомни раз и навсегда, такая же дутая, как твой бюст!»

— Молодец! А ты что, при сем присутствовала?

— Конечно, я ее пиар-менеджер. Мне она тоже эту роскошную идею излагала, но мое мнение для нее ничего не значит.

— Да, подруга. Слушай, я жрать хочу. Давай зарулим куда-нибудь.

— А я хочу выпить! Ты переживешь?

— Конечно. Женщина за рулем — плохой собутыльник.

— Мил, а как тебе... он?

— Эффектный самец. Замучился наверняка с девчонкой, а тут подвернулась такая милая женщина, умненькая, сама зарабатывает, чем не невеста, тем более вроде спасла его от бандюков, супер! Так почему бы не жениться, если охота пришла?

— Думаешь, он меня не любит?

— Лиль, опомнись, где ты ее видала, любовь-то? Это баба еще в состоянии любить, а нынешний мужик... Думаешь, твой Денис полюбил эту свою блонду? Да зуб даю, просто вляпался и если б ты их тогда не застукала, жил бы и жил с тобой...

— Мил, но ведь это грустно...

— А я разве спорю? Еще как грустно!

— А что же мне теперь делать?

— Он тебе нравится? Тебе с ним хорошо спится? Вот и продолжай в том же духе. А жить без него сможешь?

— Наверное...

— Тогда живи пока с ним, но никаких браков!

— Я недавно по телеку слышала, говорили, что институт брака отмирает...

— Да ерунда! Инстинкт материнства, инстинкт продолжения рода никуда не делись. Просто если люди, вернее, женщины...

— А женщины не люди? — усмехнулась Лиля.

— Погоди, дай мысль сказать... Так вот, если женщина встречает мужчину... Нет, не так... Ты меня сбила, короче не отомрет пока этот чертов институт, потому что выросло поколение девиц, полагающих, что единственная цель в жизни — найти богатого мужа. Следовательно, любая мужская особь с бабками рано или поздно создаст эту пресловутую ячейку общества. Но это к нашему с тобой поколению никак не относится. Ровесники, как правило, смотрят на совсем молоденьких. Те, что постарше, тем более. Мы в пролете, подруга, но давай будем этому радоваться! Мы свободные красивые женщины. И у нас больше шансов встретить наконец свою половинку. Она же где-то все-таки бродит.

— Что-то ты запуталась вконец...

— Ага! Я не очень умею стройно излагать мудрые мысли.

— Ты уверена, что они мудрые?

— Аск!

Лиля уже выпила некоторое количество текилы, когда позвонил Артем.

— Лилечка, родная моя, прости ради всего святого. Я идиот! Ты не очень обиделась?

— Я обиделась, но не очень. Ты вообще не виноват, а обижаться на ребенка глупо. Вот!

— Лилечка, ты самая добрая и лучшая на свете.

— Не уверена.

— Послушай, что у тебя с голосом? Ты что, выпила?

— Выпила, а что?

— Ты где сейчас?

— В кафе.

— Одна? Или с подругой?

— С подругой.

— Она за рулем и пьет?

— Иди к черту!

— Лиля! Сейчас же возьми такси и езжай домой. Я вечером приеду!

— Да? Зачем? А, потрахаться? Да нет, не стоит. Я к вечеру буду уже в стельку... Пока.

— Лиль, ты что и вправду пьяная? — спросила Мила удивленно.

— Так, чуть-чуть, но мне хотелось как-то его послать немножко, но не окончательно. А вроде как спьяну можно.

— Слава Богу, ты еще не превратилась в кисель. Как вспомню тебя в период татаро-монгольского ига...

— Ну, когда это было...

— Да ладно, небось встретила бы его сейчас, сразу бы растеклась...

— Да где ж его встретишь... И, главное, зачем? Давно отгорело...

Артем метался как тигр в клетке. Он не мог уехать с дачи, пока не вернулась Надежда Митрофановна. Ушел в свою комнату, лег на диван, но тут же вскочил. Его неудержимо тянуло в город, к Лиле. Казалось, ей грозит опасность. Две пьяные бабы в машине... Черт знает что... Он снова набрал Лилин номер, но она отключила телефон. Дура! Подумаешь, цаца... Он ее предупреждал... А зачем она приволокла подругу? Может, если б она была одна... Ерунда, тогда ей было бы еще хуже и больнее. Бедная девочка. Этот Никин взгляд исподлобья. Черт, черт, черт, я совсем запутался! Эх, уехать бы сейчас в длительную командировку куда-нибудь к черту на кулички... Да, но в таком случае я окончательно ее потеряю, она еще не достаточно приручена. А потерять ее жалко. Эта тонкая шейка, эти глаза Бэмби и это ее «цыц»! И все-таки я, как обычно, свалял дурака. Я же почти ничего о ней не знаю, все-таки ей почти тридцать, она была замужем, она дочь Полины Беркутовой, но мало ли какие там скелеты в шкафу?

Зачем же сразу жениться, знакомить с дочкой? Ты идиот, дружище Артем, законченный идиот! Побоялся, что уведут? А может, и к лучшему? Наверное...

Прошла неделя. Артем больше не звонил. Лиля мучилась. Но вдруг позвонила мама.

— Лилёнок, я в Москве проездом, может, повидаемся, а?

— Конечно, мамочка, но где и когда?

— На полтора часика выберешься пообедать с мамой?

— Да, только если не очень далеко от работы...

— Отлично!

Когда Лиля буквально вбежала в ресторан, Полина Сергеевна уже сидела за столиком.

— Боже, мама, какая шляпа! Это новая?

— Да! Из Рима. Правда, красота? Лилёнок, у тебя замученный вид! Это работа или Артем так тебя замучили?

— Вкупе!

— Лилёнок! — огорчилась Полина Сергеевна. — Ну, работа, я понимаю, а с ним что?

Лиля быстро ввела мать в курс дела.

— Ерунда, перемелется, будет мука́, а не му́ка! А если он такой кретин, что бросил мою девочку, ему же хуже. А тебе лучше! Зачем тебе чужой трудный ребенок? Роди своего.

— Мам, а если у меня притупленный материнский инстинкт? Бывает же такое?

— О, разумеется! Но тогда все вообще к лучшему! Ты не смогла бы справиться с такой норовистой девочкой. Знаешь, Лилёнок, за мной приедет машина, там целая сумка шмотья для тебя. Надеюсь, понравится.

— Мамочка, откуда?

— А я летала на два дня к Миронычу в Рим. И накупила горы тряпок, тебе и себе. И вот что я скажу, дорогой мой любимый Лилёнок: живи и радуйся! Ты еще молода, здорова, хороша собой, у тебя есть работа, крыша над головой, так что чуток пострадать из-за мужика не страшно. А углубляться в страдания просто нет смысла, радуйся жизни!

— Я попробую, мамочка.

Как ни странно, после разговора с матерью стало легче.

— Лиль, завтра в час дня тебя ждет Вова, — сообщила ей Марина.

— А что случилось? — встревожилась Лиля.

— Да он там нарыл какого-то автора нового и почему-то решил, что им должна заниматься ты.

— Гламур?

— Да нет, кажется, жесть.

— Уже легче. Хуже гламура для нашего брата еще ничего не придумали. Новый автор или перекупленный?

— Да новый вроде. Впрочем, я не вгрызалась в вопрос. Не до того сейчас.

— Ладно. Поживем-увидим.

Ровно в час дня Лиля вошла в приемную.

— Привет, Нелли! Мне на час назначено.

— Ага, — ответила секретарша, — проходи.

— Здравствуйте, Владимир Эдуардович!

— Привет, заходи, садись. Как дела?

— Идут.

— Хорошо выглядишь.

— Спасибо, Владимир Эдуардович, мне сказали, что новый автор...

— Да-да, вот только он опаздывает. В пробку попал. Непривычно ему по Москве ездить.

— Он из провинции?

— Да нет, из эмигрантов. Книжка — не оторваться. Грамотно пропиарить — бестселлер будет точно. Это такой авантюрно-автобиографический роман. Мужик с невероятной судьбой, начинал там официантом, добился больших успехов, денег и решил написать книгу. Это, конечно, не Лев Толстой, но Лев Толстой в наше время продается куда хуже Донцовой.

— То есть, он ближе к Донцовой, чем к Толстому?

— Да нет, он ближе к Джеку Лондону.

— Тогда здорово.

Позвонила секретарша, что новый автор прибыл.

— Пусть войдет!

Кабинет был огромный. Лиля оглянулась и застыла в изумлении — в дверях появился... Ринат Ахметшин. Лиля мгновенно узнала его, хотя он здорово изменился. Она онемела.

Владимир Эдуардович вскочил ему навстречу.

— Привет, Ринат! Заходи, заходи, садись, чай, кофе?

— Благодарю. Не стоит. — Он окинул взглядом Лилю, вполне мужским, оценивающим, но явно не узнал ее. Стало немного легче.

Он сел как раз напротив нее.

— Вот, Ринат, познакомься, это твой пиар-менеджер Лиля Орешникова. Лиль, а это Ринат Юнусович Ахметшин.

— Бога ради, без отчества, — улыбнулся он ей сногсшибательной улыбкой. — Просто Ринат.

Он не узнает меня, облегчение боролось с обидой. И хорошо. И не надо!

В этот момент вбежал коммерческий директор.

— Ради Бога, простите, но у нас тут в некотором роде ЧП, Вова, ты нужен буквально на десять минут.

Владимир Эдуардович отошел с ним в сторонку, они пошептались, и он сказал извиняющимся тоном:

— Ринат, прости, я должен отлучиться, минут на десять — пятнадцать максимум. Ты не обидишься?

— Да нет, мы тут с Лилей пока познакомимся, нам же работать вместе, если я правильно понимаю?

— Вот и отлично! А хотите коньяку? Лиль, скажи Нельке, она подаст.

И они с коммерческим директором умчались.

— Как насчет коньяку? — спросила Лиля, с трудом выговаривая слова.

— Благодарю, но я не пью спиртного.

— О! А еще вы вегетарианец или сыроед?

— Ни то, ни другое, — как-то плотоядно улыбнулся он. — Просто я был когда-то каскадером, а в этой профессии одна рюмка может стоить жизни, причем не только тебе, но и кому-то еще. Так что нет потребности. Кофе и чай тут наверно поганые. А вот минеральной воды я бы выпил.

— Минутку. Нелли, можно минералки?

— С газом или без?

— Вам с газом?

— Да, и со льдом.

Он говорил, как человек привыкший отдавать четкие указания. Или приказания.

Чтобы не сидеть как дура, Лиля решила взять инициативу на себя. Обо всем подумаю вечером, сейчас это только работа.

— Скажите, Ринат, что заставило вас взяться за книгу и чего вы хотите на этом пути? Стать профессиональным писателем?

— Не думал пока. А написал я ее за три месяца, пока сидел в норвежской тюрьме, — невозмутимо ответил он. — Делать нечего было, условия вполне недурные, вот я и решил...

Лиля сделала пометку в своем блокноту.

— Что вы там записали? — усмехнулся он.

— Просто отметила для себя, что этот факт может стать недурной зацепкой в пиар-кампании. Если вы, конечно, не возражаете.

— А почему вы не спросили, за что я сидел?

— Ну, судя по сроку, явно не за убийство, не за грабеж, ну, может, правила уличного движения нарушили...

— Знаете, вы первая женщина, которая не всплеснула руками, не схватилась за сердце и даже не спросила, за что. Вы меня приятно удивили.

— Придется немного вас разочаровать, я все-таки спрошу — так за что вас посадили?

— За нарушение правил движения по акватории порта. Ничего рокового.

— Автор этого бестселлера — человек яркой судьбы, он был там-то, там-то, сидел в норвежской тюрьме... Нет, не так... Этот потрясающе увлекательный роман был написан в камере норвежской тюрьмы! Думаю, стопудово сработает. Мы там еще ярких фактов нароем. Нароем ведь?

Он засмеялся.

— Нароете! А если мало будет, мы еще присочиним, верно?

— Конечно! Чем мы отличаемся от рыночных зазывал? Только технологиями. Мне надо прочитать вашу книгу и тогда план кампании будет яснее. Как я поняла, книга в большой степени автобиографическая?

— На семьдесят процентов. А что, вы читаете все книги, которые пиарите?

— О нет! Но тут другой случай.

— Почему?

— Ну, хотя бы в силу этих семидесяти процентов!

— Мне нравится ваш подход. Я буду с вами работать. И для начала я приглашаю вас пообедать вместе после беседы с Вовой. Чисто деловое мероприятие, — подмигнул он ей.

— Ну, если деловое, то согласна.

В это момент вернулся Владимир Эдуардович.

— Ну как, нашли общий язык?

— Да, — ответил Ринат. — У Лили фантастическая хватка, она сразу взяла быка за рога и уже наметила какие-то моменты рекламной кампании.

— Ну и отлично.

— Во избежание кривотолков довожу до твоего сведения, что... пригласил Лилю пообедать со мной сегодня, чтобы обсудить...

— Простите, Ринат, но для дела полезнее было бы перенести этот обед на завтра. Я должна сперва прочитать книгу.

— Верно мыслишь! — одобрил ее Владимир Эдуардович. — Тогда ты сейчас иди, возьми у Анчутки экземпляр.

Анчуткой в издательстве звали старого опытного редактора Анну Евгеньевну Чуткову.

— Лиля, вот вам моя визитка, как прочтете, звоните.

— И вот вам моя визитка.

Он пожал ей руку. Она сцепила зубы, чтобы не выдать своего волнения.

— Ступай, у нас тут есть еще о чем поговорить, — распорядился Владимир Эдуардович.

Лиля поспешно вышла.

— Лиль, ну как он тебе? У нас тут все, кто его видел, просто отпали. Красив как бог! — заметила Нелли.

— Чингисхан!

— Точно! Будешь с ним работать?

— Да!

— Дай тебе Бог!

— Ты о чем?

— Говорят, он богатый и холостой.

— Да пошли они все...

— Тоже верно, — вздохнула Нелли, измученная мужем-бабником.

— Девушка с характером, — сказал Ринат, когда Лиля ушла.

— Она молодчина, умненькая, четыре года назад пришла робкая, ничего еще не умела, а теперь будь здоров! И главное, умеет с людьми разговаривать.

— Замужем?

— Недавно развелась. А ты что, на нее глаз положил?

— Да Боже избави. Нельзя путать работу и удовольствия.

— Это правильно, — тяжело вздохнул Владимир Эдуардович, однажды крупно пострадавший от служебного романа.

Лиля пребывала в состоянии полнейшей растерянности. Может, это судьба, что он принес книгу именно в наше издательство и именно меня прикрепили к нему? И хорошо, что он меня не узнал, боюсь, ему было бы неприятно вспоминать, как он когда-то рыдал из-за женщины и, походя, без любви и даже влечения лишил невинности дочку своей пассии... Только бы никто ему не проболтался... Впрочем, Вова наверняка не знает маму, он телевизор не смотрит, в театр не ходит... Анчутка вообще не в курсе, Нелли... Нет, Нелли никогда никому ни о чем не скажет, разве что под пыткой. Вряд ли Ринат станет это делать, да и с какой стати? А как интересно прочитать эту книгу и как... страшно... Вдруг книга отвратительная? Вдруг там проглянет какая-нибудь гадость? Что ж, а может это и к лучшему... Но до чего же он хорош! В сто раз лучше чем тогда. Ему за сорок, эти смоляные волосы с легкой проседью, зеленые глаза, эта слегка хищная улыбка... этот загар... Остап Бендер называл это колониальным загаром... Да, он похож на жестокого колонизатора. Ему бы здорово подошел пробковый шлем...

— Анна Евгеньевна, здрасьте!

— Привет, Лилечка, тортика хочешь? Вкуснейший!

— Хочу, спасибо! А чайку нальете? Ох, и правда вкусный... Анна Евгеньевна, я к вам за рукописью Ахметшина.

— Ты его будешь вести?

— Да.

— Роскошный мужчина. Но сфинксоватый.

— Как? — рассмеялась Лиля. — Сфинксоватый? Классное словечко!

— Тебе как лучше, дискету дать или распечатку?

— Распечатка есть?

— Есть. Вот, в синей папке возьми.

— А вы уже прочли?

— Да.

— И как?

— Понимаешь, интересно, жуть, прямо современный Джек Лондон. Подредактировать, конечно, нужно, но не катастрофа. Думаю, пойдет на ура. Понимаешь, в этом есть что-то настоящее. Он не мудрствует лукаво, а просто пишет о том, что с ним было, ну и присочиняет, конечно. Кстати, как начинает присочинять, сразу хуже, но читатели вряд ли заметят. Короче, это, конечно, автор одной книги. Он ни в коей мере не сочинитель. Кстати, постарайся ему это объяснить, а то ты же знаешь наших. Заключат с ним договор на пять книг сразу! А он либо опозорится со второй книгой, либо найдет негра. И ничего хорошего все равно не выйдет.

— Ну, я не думаю, что он стремится в писатели. Он эту книжку в тюрьме написал, от нечего делать.

— Да ты что!

Лиля доложила Марине о разговоре с новым автором.

— Что ж, молодец, сразу начала креативить! Знаешь, у тебя что-то здорово бледный вид. Вот что, езжай-ка домой, читай новоявленного Лондона, а завтра встреться с ним и подготовь план. Начальство берет за горло.

— Как обычно. Вчера главным был Костяникин, а сегодня уже Ахметшин. Так и свихнуться недолго. Ну, я тогда пойду?

— Иди!

Лиле нетерпелось начать читать. Вот интересно, он написал что-то о маме?

Она рассчитывала почитать в метро, но в вагоне было слишком много народу, всю дорогу пришлось стоять. Она купила у метро килограмм розовой черешни, два баклажана, потом зашла в магазин и купила полкило любимого адыгейского сыра. Баклажаны она нарезала и разложила на решетке аэрогриля, предварительно смазав их подсолнечным маслом. И даже облизнулась, так ей вдруг захотелось есть. Баклажаны пекутся двадцать минут, может, начать читать? Нет, лучше сначала поесть, а потом уже браться за чтение. А позвоню-ка я Милке, пока пекутся баклажаны.

— Мил, это я.

— Ты на работе?

— Я тебе сейчас такое расскажу...

— Артем прозвонился?

Тут Лиля вдруг отдала себе отчет в том, что увидев Рината, ни разу даже не вспомнила об Артеме. И вся любовь?

— Да нет, он не звонит, ну и Бог с ним.

— А что случилось?

— Мне сегодня дали нового автора.

— Кого? Я знаю?

— Как автора точно не знаешь.

— А как кого знаю?

— Ну, ты о нем много слышала...

— Слышала вообще или слышала от тебя?

— От меня и вообще...

— Лилька, ты зачем меня интригуешь?

— Интересно, угадаешь ты или нет.

— Ладно, попробую, — включилась в игру Мила. — Он известный автор?

— Нет. Это его первая книга.

— Да, главный вопрос, это мужчина или женщина?

— Мужчина.

— Молодой?

— Зрелый.

— Зрелый понятие растяжимое. От двадцати пяти до пятидесяти... Ты с ним раньше была знакома?

— Была.

— Он красивый?

— Очень.

— Лилька, неужто Ахметшин?

— Фу, как ты быстро угадала!

— Лилька, это правда?

— Чистейшая!

— И как вы встретились?

— В кабинете у Вовы. Но он меня не узнал!

— Ни фига себе... Ты уверена?

— На сто процентов.

— Ты расстроилась?

— Наоборот, обрадовалась.

— Понимаю, так интереснее. Но с чего он решил податься в писатели? Ты ж говорила, что он живет в Южной Африке.

— Ничего не могу тебе сказать, пока не знаю. Разве только, что книгу эту он написал в норвежской тюрьме.

— Круто! Лилька, как романтично! Сюжет — зашибись!

— Да, у меня аж дух захватило! Он уже пригласил меня пообедать с ним.

— Обалдеть! Тогда почему ты со мной болтаешь, самое время обедать или уже пообедали?

— Нет, я сейчас поем, и буду читать его книгу, говорят, жутко интересно. А вот завтра мы с ним обедаем.

— Лилька, умереть — не встать! У тебя небось все мысли об Артеме из головы вылетели?

— Это правда.

— И слава Богу! Хотя для брака такой тип, как этот татаро-монгол...

— Мил, да к черту все браки! Не хочу даже думать о таких вещих!

— Но как же он мог тебя не узнать?

— Да он на меня и внимания никогда не обращал, к тому же я сейчас блондинка, и вообще, мне тогда было семнадцать. А ты можешь вообразить, сколько баб у него было за эти годы, да и вообще, может, у него плохая память на лица.

— И тебе ни на секундочку не было обидно?

— На полсекундочки.

— Да, подруга... Можно дать один совет?

— Валяй!

— Не говори об этом Полине Сергеевне.

— Я вообще никому, кроме тебя, говорить об этом не собираюсь. Это просто новая работа.

— Но какая интересная!

— Не то слово!

Книга захватила ее с первых же страниц. Анчутка права, в ней есть что-то очень настоящее. Но о любви к маме там не было ни слова. Начиналась она с того, что каскадер из Москвы отправился покорять Голливуд, долго мыкался, профсоюз, то, се, но ему улыбнулась удача, и он все-таки быстро преуспел на этом пути, однако вскоре получил тяжелую травму и понял, что с этой профессией ему надо завязывать. Вылечившись, он подрядился поехать в Южную Африку вдвоем с чудаковатым английским миллионером. Они сдружились, и англичанин, совершенно влюбившись в природу Южной Африки, несмотря на предостережения знакомых, купил там имение. Юнис, так звали героя книги, влюбился там в белую женщину, жену доктора, она ответила взаимностью, но счастье длилось недолго, доктор продал дом и увез жену в Австралию.

Дальше была еще масса приключений, джунгли, саванны, красная почва, слоны, зебры, носороги. Но однажды на Джошуа напал леопард, Юнис убил зверя, но Джошуа был тяжело ранен и через месяц умер, оставив Юнису свое состояние. Герой долго горевал из-за потери друга, потом продал имение и покинул Южную Африку. Теперь он был богат, свободен, но одинок и несчастлив. И он пустился в путешествие по миру. Иногда его мучила тоска по Родине, но возвращаться ему было некуда. В России у него осталась любимая девушка, которая, как он знал, вышла замуж за другого. И он пустился во все тяжкие. Но однажды попал в норвежскую тюрьму, задумался о жизни и решил наведаться на

Родину. И в Москве встретил свою девушку, которая давно овдовела, и жила одна с ребенком в полной нищете. Разумеется, он женился на ней, усыновил ребенка и увез с собой в Европу, чтобы она забыла о своих российских мытарствах.

Лиля тоже, как Анчутка, четко видела грань между вымыслом и правдой. История с любимой девушкой была на удивление ходульной и фальшивой. Из любовных приключений она поверила только в жену доктора. Тем не менее книга читалась на одном дыхании.

Лиля посмотрела на часы. Половина одиннадцатого. Позвонить ему сейчас? Еще не очень поздно. Черт его знает, когда встают миллионеры. Но вряд ли они ложатся спать в половине одиннадцатого. Но, с другой, стороны, зачем демонстрировать ему излишнее рвение? Впрочем, это рвение в работе, не зазорно. И еще ужасно хотелось услышать его голос. И она набрала его мобильный номер. Он откликнулся мгновенно.

— Ринат? Это Орешникова из издательства.

— Лилечка?

— Да, Ринат. Я прочитала книгу и готова завтра с вами встретиться.

— Вам понравилось?

— Не обижайтесь, мне понравилось ровно на семьдесят процентов.

— Почему?

— Чувствуется разница между правдой и вымыслом.

— То же самое мне сказала Анна Евгеньевна.

— Ринат, поверьте, книга вообще замечательная, и ее, конечно, сметут с прилавков, она такая романтическая, увлекательная, но...

— Но что?

— Я бы изменила конец. Он слишком розовый.

— А что надо сделать для этого?

— Мне кажется, впрочем, я ведь не редактор и не писатель, довольно было бы сказать, что герой решает вернуться в Москву и разыскать свою девушку. А уж что там... пусть читатели напрягут воображение. В романе приключенческого жанра такой финал был бы логичнее.

— Я подумаю.

— Отлично. Но, впрочем, вы вполне можете оставить все, как есть. Море слез вам обеспечено, — она хотела добавить и «соплей», но воздержалась. — И не обижайтесь на меня.

— Нет, нет, какие обиды... Простите, Лиля, я больше не могу сейчас говорить. Значит, встречаемся завтра в три, обедаем и обсуждаем все подробно.

— А может, позвать еще и Анну Евгеньевну? Имеет смысл, мне кажется.

— Ни в коем случае! Такую встречу вполне

можно провести прямо в издательстве. Я заберу вас с работы ровно в три. Спокойной ночи, Лиля.

Так! И что сие означает? Он желает обедать со мной вдвоем? Собирается меня клеить? И ведь это после моих замечаний... Зря я сейчас ему все высказала, еще ляпнет кому-то из начальства, а мне влетит за вмешательство не в свое дело. Интересно, Анчутка ему это предлагала? Завтра надо выяснить. А сейчас хорошо бы заснуть. Чтобы завтра выглядеть на все сто. Но, боюсь, не получится. А никаких снотворных в доме нет. Равно как молока и меда. И как мне вести себя с ним? Как с любым автором, которого надо пиарить. Не более того. А я, идиотка, уже высказала свое, никому не нужное мнение. Мое дело пиар и только пиар. Завтра я должна иметь первые прикидки для плана пиар-кампании. И тут слава Богу, есть за что зацепиться. И Южная Африка, и норвежская тюрьма и, главное, портрет автора на обложке. Любая баба купит с восторгом. Еще бы! А ведь странно, я не испытала какого-то сверхсмятения... Если бы мне кто-то сказал, что в издательство придет Ахметшин, я бы сошла с ума, наверное... А так... Нет, смятение было и даже еще есть, но это не торнадо... Ну и слава Богу.

Утром она рано встала и за полтора часа набросала примерный план, придумала несколько слоганов, то есть вполне была готова к работе. А теперь надо продумать туалет. Чтобы в издательстве никто не решил, что я специально выпендрилась, но чтобы во время обеда выглядеть достойно. Ведь он вряд ли поведет меня в «Грабли» или «Елки-палки». И она надела привезенное мамой из Рима платье. Светло-серое с белой отделкой на юбке достаточно сложного фасона. Скромность, но более, чем достойная. И чувствуется класс. У мамы замечательный вкус и глазомер. Платье сидит идеально.

На выходе из метро она столкнулась с Анчуткой.

— Лиля! Потрясающее платье!

— Спасибо. Мамин подарок. Анна Евгеньевна, я вчера прочла Ахметшина...

— Ну, что скажешь?

Лиля высказала ей свои соображения, попутно восхитившись точностью замечаний старшего товарища.

Анна Евгеньевна была довольна.

— Еще, мне кажется, конец надо изменить.

— Ты решишься ему об этом сказать?

— А я уже сказала, по телефону.

— И что он?

— Обещал подумать.

— А я, дура, побоялась. Он мне внушает какую-то робость. Кажется, выхватит сейчас нагайку...

Лиля засмеялась.

— Смотри, не влюбись в него.

— Ну вот еще! Для меня это чересчур. Мне бы что поскромнее.

— Но на всякий случай ты выпендрилась по полной программе.

— Да что вы! Просто я сегодня после работы иду на день рождения к друзьям.

— Ну-ну.

Лиле стало неприятно.

— И еще хочу предупредить, среди наших девиц грандиозный ажиотаж.

— По какому поводу?

— По поводу Ахметшина.

— А мне-то что?

— Ну-ну.

В отделе как всегда царило легкое безумие. Наташа рыдала. Лена терла виски и страдальчески морщилась. Марина пыталась привести всех в чувство, а для полноты картины Таня кричала в телефон: «Я вас не слышу! Говорите громче! Громче! Громче, ох черт!»

— С утра уже дурдом? — осведомилась Лиля.

— У нас иначе бывает? — спросила Марина.

— Наташ, ты чего слезы льешь? — шепнула Лиля.

— Мне позавчера Васин сказал, чтобы я сделала вот так, я сделала, показала ему, а он говорит, что так нельзя, и надо сделать так, как у меня было! Все! Больше не могу! Подаю заявление. Сашка ушла и счастлива! Меня к себе зовет. Там хоть и меньше платят, но зато нервы не мотают! Ой, Лилька, ты чего такая шикарная?

— Вечером иду на день рождения... — пришлось опять соврать Лиле.

— А... Лиль, искала б ты себе тоже другую работу, тут с ума спятить недолго.

— Это верно, но мне жалко, у нас все-таки команда, а командой легче оборону держать. Сашка ушла, ты уйдешь, я, как-то нехорошо, наверное... Ничего, как-нибудь... Вот, хочешь конфетку, у меня завалялась в сумке. Вкусная...

— Давай что ли. Правда, вкусная... Спасибо.

Утешив Наташу, Лиля подошла к Марине.

— Марин, я вот тут набросала кое-что по Ахметшину, но на него еще бюджет не спустили.

— И не спустят.

— Почему это?

— Он сам рекламу оплатит. Так что чувствуй себя свободно, — усмехнулась Марина. — Но боюсь, это будет что-то неприличное.

— В каком смысле?

— Ну, неумеренная, прямо-таки смехотворная реклама для первого опыта... Впрочем, не знаю, а вдруг он нормальный?

— Я сегодня с ним встречаюсь, поговорю.

— Ты из-за него так выпендрилась?

— Да нет, иду вечером на день рождения, — раздраженно бросила Лиля. — Марин, а нельзя мне было вчера сказать, что он сам платит за рекламу?

— Я только двадцать минут назад об этом узнала.

— Извини. Да, дурдом есть дурдом!

В половине третьего у Лили зазвонил мобильный. Ринат.

— Лиля? Ахметшин. В три ровно выходите на крыльцо, я вас заберу.

— Хорошо.

Она побежала в туалет поправить макияж и прическу. И ровно в три вышла на крыльцо. Алая шикарная машина. А возле нее ослепительный мужчина. На него оглядывались абсолютно все женщины, независимо от пола и возраста.

Ужас! Он слишком хорош. Неприлично. Куда смотрит Голливуд?

— Привет, Лиля.

— Добрый день, Ринат.

Он открыл перед ней дверцу. Она села и подумала: я теперь блондинка, сажусь в алое авто. Сериал!

— Пристегнитесь, — бросил он.

— Да нет, я так накину ремень.

— Лиля, пристегнитесь и не спорьте. Ненавижу эту московскую расхлябанность. Во всем мире люди пристегиваются и не спорят по этому поводу.

Она разозлилась.

— Тогда за каким чертом вы в Москву приехали? Издали бы свой шедевр на Западе и все в порядке.

— Вас забыл спросить, — буркнул он.

— Извините, это не мое дело.

— Так-то лучше.

Она хотела спросить, куда они едут, но не стала связываться. Однако просто сидеть и молчать было глупо и противно.

— Ринат, мне сказали, что вы сами платите за рекламу.

— Да, я хочу, чтобы книгу прорекламировали достойно. Новое имя на рынке без рекламы просто потеряется, разве не так?

— Так. Но хорошая реклама дорого стоит.

— Ничего, я осилю.

— Понимаю. Но что бы вы хотели конкретно? Радио, телевидение, плакаты, биллборды, баннеры?

— Ну, это мы еще обсудим. Я вот подумал насчет конца, вы совершенно правы. Сам не знаю,
за каким чертом я развел эту канитель.

— Да? — обрадовалась Лиля. — Ну, хорошо,
что вы способны прислушиваться к чужому мне-
нию. Это бывает нечасто.

— Я превыше всего ценю профессионализм.
Знаете ли, моя первая профессия меня этому научила. А вы профессионал в этом деле.

Он свернул на Краснопресненскую набереж-
ную. Там есть целый куст хороших дорогих рес-
торанов. Лиля загадала, если он поведет меня в
«Шинок», у нас с ним будет роман. Он останo-
вил машину.

— Какой ресторан тут лучше, вы в курсе?

Подтолкнуть судьбу? Порекомендовать
«Шинок»?

— Я не была нигде, кроме «Шинка», — вы-
крутилась она, чтобы сохранить ему возмож-
ность выбора.

— Мне говорили, что там вкусно. Вы не против еще раз там побывать? Или хотите что-то новое увидеть?

— Да нет, я с удовольствием, я очень люблю
«Шинок»! Хотя, если вы совсем не пьете...

— Но я ем! И украинскую кухню обожаю. Пошли!

Бесспорно это он выбрал «Шинок»!

Все-таки скучно, что он не пьет, думала Лиля, листая меню.

— Кстати, Лиля, если вы хотите выпить, то меня это не напрягает.

— Ну вот еще! Стану я одна пить средь бела дня! Неинтересно.

Он вдруг очень пристально на нее посмотрел.

— Лиля, а мы раньше никогда не встречались?

— Раньше? Нет.

Сердце у нее при этом оборвалось. Черт знает как еще все повернется, если он узнает, кто она такая.

— У меня отвратительная память на лица, я иной раз попадаю в дурацкие ситуации. Смотрю на вас и кажется, будто в прошлой жизни мы встречались. Орешникова ваша девичья фамилия?

— Нет, это по мужу. А девичья фамилия у меня Удалова, — она назвала девичью фамилию Милки.

— Удалова? Нет, не помню.

— Ринат, поверьте. У меня прекрасная память на лица, да и у вас достаточно запоминающаяся внешность, я бы точно вас не забыла.

— Ну хорошо, вы меня успокоили. С ума сойти, какой вкусный хлеб. А борщ — чудо! И знаете, приятно смотреть на девушку, которая с таким аппетитом все это ест, а не жеманничает и клюет салат.

Лиля засмеялась.

— Я голодная. И так вкусно...

— А вы умеете варить борщ?

— Умею, но не хочу!

— Почему?

— Лень!

— А, понял! Ну, что вы там придумали? — спросил он, велев официанту не спешить со вторым блюдом.

Лиля достала из сумки свои листки.

Он посмотрел их, хотя в зале было не слишком светло.

— Толково. Лиля, я вот еще что хотел обсудить...

— Слушаю вас.

— Мне кажется, что Ринат Ахметшин звучит как-то не очень.

— Почему? Нормально.

— Знаете, неизвестно еще, как пойдет книга...

— То есть, если я правильно поняла, вы опасаетесь, что ваше реноме может пострадать? Но это ерунда. Книга, хорошо прорекламированная, да с вашим портретом на обложке пойдет на ура! К тому же она жутко интересная и захватывающая. Вы зря беспокоитесь.

— А критика?

— Какой вы наивный при вашем богатом жизненном опыте! Критика просто не заметит вашу книгу, если не проплатить. Наши критики не снисходят до низких жанров. Разве что какой-нибудь озлобленный собственными неудачами газетный обозреватель тиснет несколько злобно-безграмотных строчек, и все!

— А у меня низкий жанр? — удивленно спросил он.

— Ринат, определитесь, чего вы хотите. А что касается жанра, то знаете, кто-то сказал: «все жанры хороши, кроме скучного!» Так вот, у нас, в нашем литературном бомонде считается наоборот: «Все жанры дурны, кроме скучного». Если книга написана просто, если там нет глобальных проблем, то она как бы не имеет права на существование. Ну за очень редким исключением. Правда, у читателей свое мнение на этот счет. А читателей у вас будет масса! Но высокая тусовка даже если будет зачитываться вами, все равно вас не заметит. Вы все же определитесь, что для вас важно.

— Черт возьми, вы здорово умная, Лиля. Пожалуй для меня важнее, чтобы мою книгу прочло как можно больше народа.

— Правда, есть еще вариант. Вы читали книгу Полякова «Козленок в молоке»?

— Нет, а что?

— В ней рассказывается о том, как на спор из дремучего безграмотного парня делают знаменитейшего писателя. Там, правда, речь идет о советских временах, но теперь это еще проще. Вот года три назад вдруг появился один, с позволения сказать писатель, красивый мужик, наглый, как танк, отнюдь не дремучий и сумел внушить большей части общества, что он-таки величина! А на самом деле...

— А он сам пишет?

— Думаю, да. Но это к литературе имеет слабое отношение. Так, эпатаж... Однако, имя себе сделал. Но читать его нормальному человеку невозможно. Мы занимались его кампанией, но я не смогла осилить книгу. А вашу я проглотила.

— Да... Интересно. Но быть дутиком неохота. Я в этой жизни ценю только все настоящее. Поэтому, Лиля, давайте сделаем рекламу, рассчитанную только на продажу. А имидж... Я вот спросил себя вчера, хочу ли я еще писать? И ответил себе — пока нет! Поэтому не надо из меня делать писателя. Мне вот Вова предлагал стать этаким мистером Икс. Выступить под псевдонимом, и остаться загадкой...

— И чего их тянет на загадки, — пожала плечами Лиля. — В наше время народ жаждет все знать о любимом авторе, вплоть до фасона трусов, а на загадки у него времени нет. Да и авторов кругом жуткие тыщи, как говорит моя мама...

— А кто ваша мама? — перебил он ее вопросом.

Идиотка, обругала себя Лиля. Увлеклась, села на любимого конька.

— Мама? Художница. По тканям, — добавила она, чтобы он не спросил фамилию. Кто знает художников по тканям?

— А... Простите, я перебил вас.

— А о чем я говорила?

— О том, что ваше начальство тянет на загадки.

— Ах да, но я уже все в общем-то сказала. Простите мою горячность, я увлекаюсь...

— Вы не только сами увлекаетесь, вы и меня увлекли. Очень интересно. Но чем больше я вас слушаю, тем увереннее прихожу к убеждению, что пусть все будет по-честному. Ринат Ахметшин написал автобиографическую на семьдесят процентов книгу. Он живет в Италии, у него свой бизнес, и книгу он написал в тюрьме. Вот с этими фактами и работайте. Только на продажу книги. И укажите еще, что писателем быть он не собирается!

— Ринат, вы здорово впечатлительный!

— Это правда. Когда-то в молодости я даже рыдал от неразделенной любви.

— Да вы что! Никогда бы не подумала, — недрогнувшим голосом сказала Лиля.

— У меня не самостоятельный бизнес, я унаследовал все от Джима...

— Он же Джошуа? — улыбнулась Лиля

— Да! У него капиталы были вложены в разные сферы бизнеса, а я по сути только управляю всем этим.

— И вам не страшно?

— Поначалу было дико страшно. Но я пошел учиться, я парень способный, выучился. Хотя без крупных потерь не обошлось. Впрочем, это скучные материи. Могу сказать одно — к столпам бизнеса я никоим образом не отношусь.

— То есть вы не олигарх?

— Отнюдь. А ресторан этот и вправду отличный, давно не ел такой вкусноты. И обстановка приятная. Лиля, а с кем вы тут были?

— С мужем была.

— А почему развелись?

— Ой, это скучно, — поморщилась Лиля. — Мне вообще не следовало выходить за него замуж.

— Так зачем вышли?

— У меня была неудачная любовь. Мы расстались. И чтобы не видеть моих страданий, мама выпихнула меня замуж. Он был неплохой, что, как говорится, не мой человек.

— А сейчас вы нашли вашего человека?

— На недельку показалось, что нашла, но быстро выяснилось, что ошиблась.

— То есть ваше сердце свободно?

— Боже, какое старомодное выражение! — засмеялась Лиля. — Кстати, в вашей книге много подобных выражений, но там, в этой романтической истории, они уместны... Да, Ринат, я хотела спросить, ваш друг... на него действительно напал леопард?

— Истинная правда.

— А там красиво, в Южной Африке?

— Там сказочно красиво. Никогда бы оттуда не уехал, если бы не история с Джимом. И еще чернокожие с каждым днем наглеют и разрушают все, что сделали белые.

— Да вы расист!

— Считайте, что расист.

— К тому же неполиткорректны.

— А что, я должен называть черных афроафриканцами?

— Просто африканцами.

— А там полно белых, они тоже африканцы, многие из них родились в Африке.

— Ой, так мы далеко зайдем! — засмеялась Лиля.

— Дорогая моя, вы сами затронули эту скользкую тему, чтобы уйти от разговора о вашей личной жизни.

— Просто мне эта тема глубоко неинтересна. Давайте лучше детально обговорим все позиции пиар-кампании, чтобы завтра мне было с чем идти к начальству.

— Лиля, но если я сам за все плачу, то какого черта вашему начальству об этом знать?

— Нет, так нельзя. Во-первых, производственные мощности, и вообще... Допустим, вы захотите чего-то непомерного.

— Но я же...

— Я сказала, допустим. Мы же не станем на всех углах кричать, что вы сами платите, правда? А потом к нам пойдут обиженные авторы, которые не платят сами за рекламу и будут говорить: «Вон, какой-то неведомый Ахметшин то, Ахметшин се, а у меня миллионные тиражи, я обиделся и уйду к конкурентам».

— Кошмар какой-то! И зачем я в это полез!

— Назвались груздем!

— А что, такие случаи уже бывали?

— Какие?

— Ну что авторы приходили, обижались...

— Да чуть ли не каждый день... Авторы — это такая публика...

— А что, нормальных нет?

— Есть, но их можно пересчитать по пальцам одной руки.

— Жуть какая! И как же столь хрупкая девушка выживает среди таких монстров? — засмеялся он.

— Пока жива...

— Ну, если что, говорите, я умею обращаться с хищниками.

— Я, в общем, тоже.

— Лиля, куда вас отвезти? Домой?

— Нет, мне еще надо на работу! — испугалась Лиля, ведь она жила в той же квартире, где когда-то рыдал от любви к маме Ринат.

— Но рабочий день уже кончился.

— У нас он плохо нормирован.

— Лиля, а где вы живете?

— Я? — помертвела она. — На Юго-Западе.

— Так вам же далеко добираться будет. Давайте, я вас подожду?

— Нет, ни в коем случае. Я просто возьму такси.

— Ну что ж... В таком случае... Я завтра улетаю на несколько дней. Буду вам звонить.

— А я смогу с вами связаться в случае чего?

— Разумеется. У вас же есть все мои телефоны. Спасибо за чудесный обед... Мне было очень интересно и приятно.

— И вам спасибо. Всего доброго, Ринат.

Она влетела в холл, глянула в окно. Он не уезжал. Она вызвала лифт, поднялась в отдел. Марина с Таней еще были на месте.

— Орешникова, ты чего? — удивилась Таня.

— Да я опаздываю на день рождения, и забыла тут подарок!

— А где день рождения-то? — спросила Марина. — Если по дороге, могу подвезти.

— Мариночка, золотце мое, довези до метро!

— Нет вопросов! Ну, можно идти.

Они спустились во двор, где стояли машины работников издательства. Марина спросила:

— А может ближе куда-нибудь довезти?

— Мариночка, спасибо, но только до метро.

Когда они выехали, Лиля увидела, что машина Рината все еще стоит у подъезда. А сам он сидит в машине, не сводя глаз с парадного подъезда.

Слава Богу, он меня не заметил. Но зачем он тут торчит, зачем меня караулит? Неужто влюбился? Или он меня вспомнил и понял мой маневр? Да нет, вряд ли... Сам же сказал, что у него плохая память на лица. Ей даже стало его жалко, чего он будет тут торчать? И в конце концов поймет, что я просто сбежала как последняя дура. Я же могла попросить его довезти меня до Милкиного дома... Одна наша авторша уверяет, что влюбляясь все без исключения бабы дуреют. Вот и я сдурела.

— Спасибо, Маришечка! Я побегу!

— Да, забыла спросить, как там Ахметшин?

— Он, кажется, вполне нормальный, завтра расскажу!

Ехать ей надо было всего две остановки. Выйдя из метро, она набрала номер Милы.

— Милка, ты одна?

— Хочешь зайти?

— Ага.

— Ты с работы? Но у меня жрать нечего.

— Да я сыта!

— Жду!

— Лилька, ты что, угорела? У тебя неприличный вид.

— Почему?

— Трудно объяснить, но есть что-то от течной суки.

— Мил!

— Не обижайся, я ж не виновата, что у меня возникла именно такая ассоциация. Ну, что стряслось?

— Мил, мне страшно, я заигралась.

— Отложи эмоции в сторонку и по порядку расскажи, как все прошло.

Лиля рассказала.

— Ну ты и дура... Тебе скоро тридцать, а ведешь себя как будто тебе тринадцать. Прячешься, убегаешь... Бред!

— Да я понимаю...

— Ты опять в него втрескалась?

— Да не пойму. Он меня жутко волнует и еще... я его боюсь... Как будто вошла в клетку к ручному тигру. Ручной-то он ручной, но все-таки тигр. Может и башку откусить.

— Но в клетку тянет?

— Тянет... Еще как тянет.

— И все-таки я не понимаю, зачем городить столько вранья? Мама — художница, фамилия моя, живешь на Юго-Западе... Да если он захочет, он в два счета узнает правду и сочтет тебя непроходимой дурой.

— Я и есть непроходимая дура. Но я боюсь, что он вспомнит ту девчонку, совершенно ему неинтересную, ненужную, которую он к тому же лишил невинности...

— И что? Сейчас ведь ты ему явно интересна...

— Но он не сравнивает меня с мамой! Я другой человек, с другой биографией, он передо мной ни в чем не виноват...

— А перед Лилей Беркутовой он виноват? Не смеши меня! Он же тебя не изнасиловал, правда? Ты сама хотела...

— Хотела.

— А он, что называется, пошел тебе навстречу, не предполагая, что ты, будучи девушкой, так легко ему дала. Он же, вероятно, мусульманской ментальности мужик...

— И что?

— Да ничего. Он просто смутился. Жениться на тебе не хотел, боялся себя, он же был влюблен в твою мать... Но сейчас прошло столько лет, он скорее всего о тебе и думать забыл, сама говоришь, у него была более чем бурная жизнь. А теперь представь себе, что у вас закрутится роман...

— Ой, мамочки...

— Так вот, закрутится роман, а он вдруг узнает, что ты все ему наврала... Он может обидеться, или даже взбеситься, в нем проснется дикий зверь, и он-таки откусит твою глупую голову, фигурально, разумеется. И ты опять останешься с носом. Без головы, но с носом!

Лиля фыркнула.

— Да, смешно... — согласилась Мила. — Но не мне! Второго татаро-монгольского ига я уже не переживу. Да, а что наш Артем-кошатник?

— Звучит почти как Симеон-столпник. А ничего. Сгинул.

— Да, непоследовательный товарищ. То люблю — женюсь, то вдруг в кусты. Но жалеть о нем не стоит.

— А я разве жалею, хотя с ним было хорошо и нестрашно.

— Зато тут адреналин!

— Это правда. Сплошной адреналин!

— Лиль, а может все-таки охолонешь маленько? Учитывая прошлое, это может скверно закончиться. Может, ну его?

— А как?

— Притворись больной, возьми отпуск...

— Да я недавно из отпуска, к тому же летом, перед ярмаркой у нас завал работы, я не могу так подвести девчонок... Нереально. И потом, он завтра уезжает. Может, вернется и все окажется по-другому...

— Вряд ли... А впрочем, Лилька, пусть все идет как идет. За все годы с Денисом я ни разу тебя такой красивой не видела. Права Полина Сергеевна, для тебя развод и впрямь оказался трамплином...

— Ага, меня подбросило, но я попала в какое-то завихрение воздуха и меня мотает, а как приземлиться, и куда, неизвестно. Недолго и шею сломать.

— Но все-таки это куда веселее, согласись!

— Уже согласилась. Как вспомню эту замужнюю жизнь...

— Лиль, если надумаешь рожать, рожай от Ахметшина, интересный ребеночек может получиться...

— Мил, рано об этом думать.

— А по-моему, в самый раз.

— Да ну тебя...

— А замуж за него не надо.

— Мил, ты в своем уме?

— В своем, в своем.

— Мил, очнись, я ведь не знаю, может, у него пять жен, восемь детей. Об этом не было сказано ни слова.

— Кольцо носит?

— Нет. Но во-первых, я не уверена, что мусульмане носят кольца, а во-вторых...

— А он вообще, как насчет мусульманства?

— То есть?

— Не сильно правоверный?

— Да нет... Точно нет! Он ел свинину!

— Уже легче.

— Ну, ты даешь, подруга!

Они расхохотались.

У Лили зазвонил мобильник.

— Алло!

— Лиля, это Ринат!

У нее оборвалось сердце.

— Вы где?

— Дома, а что случилось?

— А то, что я вас ждал, а вы что, огородами убежали?

— Господи, Ринат, я же не думала... Я просто вышла через двор на другую улицу. Простите, я не хотела...

— Ну что ж, вообще-то первый раз прощается... Ладно. До встречи.

— Лилька, что?

— Он сказал: первый раз прощается... и у него был такой тон...

— Какой? Угрожающий?

— Понимаешь, — потрясенно проговорила Лиля. — Не просто угрожающий, а угрожающий сексуально...

— Да, Лилька, плохо твое дело. Сдвиг по фазе налицо.

Ринат сам себя не понимал. Чем его так привлекла эта Лиля? Вроде ничего особо примечательного, видали и получше. Кого-то она ему напоминала... но он не мог понять кого. У него и вправду была отвратительная память на лица. Сказать, что она красива, да нет, пикантна... Даже очень. Умненькая, обаятельная и явно натуральная, даже зубки хоть и белые, но не слишком ровные. Худенькая даже чересчур, он предпочитал женщин в теле. Но она чем-то страшно его волновала, в ней была какая-то, видимо, еще бессознательная сексуальность. Она еще дурочка. А смех у нее иной раз просто может свести с ума. И еще она явно что-то темнит, врет... Надо будет разузнать о ней побольше. Недаром мне все время кажется, что я когда-то ее знал. Лилия Орешникова... в девичестве Удалова... Ну, что она Лилия Орешникова, в этом нет сомнений, мне ее так представили в издательстве. Все остальное нуждается в проверке. Лилия... не такое уж редкое имя... Я припоминаю по крайней мере семерых. Лиля Кузина, Лилька Хейфец и Лилька Иванкина, это в школе... На «Мосфильме» была гримерша Лиля, звукооператорша Лилия Игоревна... Тренер по гимнастике тоже была Лилия Анатольевна... Да всех разве упомнишь... Кажется, ту девчонку, дочь Полины тоже звали Лилией... Точно, Лилёнок, она называла дочь Лилёнком. Так, уже теплее... Но она не была блондинкой и лица ее я совершенно не помню. Кажется, я даже трахнул ее от отчаяния, когда Полина вышла замуж. Да, да, точно, она еще оказалась девушкой... Может, это она?

Лиля возвращалась домой подавленная. Какая же я идиотка! Ведь если он догадается, какой последней кретинкой я буду выглядеть в его глазах... Я же заметалась, как сопливая девчонка или как красна девица, вернее, как старая дева. Но это же от неожиданности, попыталась она оправдаться в собственных глазах. Но в его-то глазах кто меня оправдает? Она приняла душ, залезла в постель, включила телевизор, как раз начинался ее любимый сериал. Черт знает сколько я пропустила, но сериалы тем и хороши, что все равно все понятно. Это успокаивает. Герой неотразимо мужественный и загадочный, чем-то напоминал Рината... Опять Ринат... Но тогда, много лет назад, он был далеким и недосягаемым, а сейчас подошел к ней совсем близко... А она своим идиотским поведением оттолкнула его. А может, наоборот, ему почудилась тут какая-то загадка? Хорошо бы... Но эта загадка так легко разгадывается... И тогда конец. Я стану столь явным напоминанием о фиаско, которое он потерпел с мамой. Но он же все-таки добился своего, хоть и через много лет. А вдруг он захочет отомстить маме, зная как она меня любит, он поматросит меня и бросит както жестоко и унизительно, чтобы страдала не только я... Чтобы мама мучилась угрызениями совести... А я ведь, он думает, могу не пережить такой истории, покончить с собой и вот тогда-то мама раскается... Тигр — животное коварное. Да нет, я наверное переживу...

Сна не было ни в одном глазу. По телевизору в этот час все каналы показывали какие-то ужасы. Вдруг зазвонил телефон.

— Лилёнок, не спишь?

— Нет, мамочка! А ты где?

— На съемках в Минске. Вот пришла в номер, решила позвонить дочке. Я скучаю, Лилёнок! Знаешь, я хотела спросить, как твой Артем?

— Больше не появлялся.

— Ну и черт с ним. Ты страдаешь?

— Из-за него? Нет.

— Появился еще повод для страданий?

— Нет, мамочка, это все работа...

— Ну что там опять?

— Как всегда, пожар в бардаке во время наводнения.

— Ох, Лилёнок, порядок бывает только в маленьких странах, в больших всегда бардак. Сие справедливо и для организации вроде вашей, не бери в голову. Лилёнок, ты помнишь сериал «Маленькие бедки»?

— Помню, а что? Ты там была неотразима.

— Я знаю. Но речь не обо мне. Ты помнишь Сашу Леонтовича, который играл главного героя?

Лиле стало смешно. Сейчас мама будет меня с ним сватать.

— Еще бы, такой мужчина!

— Лилёнок, его бросила жена!

— Я должна ему сочувствовать или радоваться за него?

— Ты ничего не должна, но он хороший парень! Я редко говорю так о нашем брате артисте, но это правда. Из интеллигентной семьи, по первому образованию биолог, умный, что тоже редкость...

— Мамочка, я не хочу!

— Лилёнок, ты же с ним не знакома! А я бы хотела, чтобы ты приехала к нам в Минск на выходные, чем черт не шутит...

Если бы ты знала, мамочка, как со мной пошутил черт!

— Нет, мамуля, я не смогу при всем желании. В субботу у меня две презентации.

— Лилёнок!

— Мамочка, но я просто обязана там быть!

— Ну, как хочешь... Ничего, я что-нибудь придумаю.

Лиля прекрасно знала, что придумает мама. Леонтович в отличие от Полины Сергеевны живет в Москве и мама непременно передаст с ним какой-нибудь белорусский сувенир. А тот либо забудет, либо передаст его через десятые руки. Это в том случае, если мама не вступила с ним в заговор... Почему бы ей не объяснить брошенному красавцу, что развод — это трамплин? Или в качестве подкидной доски выбрали меня? Ну что ж, если так, то я вместо себя подсуну, пожалуй, кого-нибудь из наших незамужних девчонок. Думаю, на Леонтовича клюнет любая... Хотя у наших вкусы иногда странные...

Ринат терпеть не мог работать в самолете. Но частенько не было выхода. Вот и сейчас он летел в Гонконг с ноутбуком. Если ситуацию в Гонконге не удастся разрулить за два дня, то придется еще лететь в Сингапур, а не хотелось бы... Почему-то тянет в Москву, к этой смешной дурочке... Она боится напомнить мне, что мы знакомы. Чудачка, но какая милая... И умненькая вроде бы. И хорошенькая. Конечно, ей далеко до Полины... Но после встречи в Париже, она стала далеким прошлым. Но, похоже, это рок... Надо ж было мне попасть на ее дочь... смешно, ей Богу... И она мне здорово нравится... Нравится то, что будучи вполне привлекательной, не пошла в актрисы. Нравится, что хорошо разбирается в своем деле. А впрочем, к чему это все? Она мне просто нравится, потому что не похожа на других баб, которые встречались на моем пути. Ерунда! Нравится, потому что нравится и все! Точка. Хочет делать вид, что она не она, пусть. Я ей подыграю. Если ей так легче, что ж... Вполне могу простить ей эту маленькую и вполне невинную ложь. А вообще-то она лгать совсем не умеет. И этим тоже очаровательна. Интересно, как взглянула бы Полина на эту ситуацию? А впрочем, мне на это уже наплевать.

На работу, если не было каких-то сверхсрочных дел, Лиля обычно ездила к одиннадцати. У них это разрешалась. Марина считала —

главное, чтобы работа была выполнена. А где именно ее выполнять, это не так важно. Тем более, что иной раз рабочий день затягивается до глубокой ночи. Поэтому с утра Лиля работала дома. С восьми до десяти она многое успела. И уже собралась выходить из дому, как звонил телефон.

— Алло!

— Лиля, это Артем!

— Привет, — недрогнувшим голосом отозвалась она.

— Лиля, прости меня...

— Давно простила.

Ее тон ужасно ему не понравился.

— Лилечка, милая, надо встретиться... Поговорить.

— О чем?

— О нас...

— О чем тут говорить?

— Лиля...

— Что Лиля? — не без раздражения переспросила она.

— Лилечка, ты сердишься, значит, ты не права.

— Я не Юпитер!

— Короче, когда и где?

— Никогда и нигде! — выпалила она. Ей вдруг весь этот краткий роман показался несусветной глупостью

— Лиля, но что случилось?

— Зинаида Гиппиус говорила — если надо объяснять, то не надо объяснять!

Если он сейчас спросит, кто такая Зинаида Гиппиус, я брошу трубку.

— Лиля, так нельзя... Я виноват, но высшей меры никак не заслуживаю. Я настаиваю, нам надо встретиться и я попробую объяснить тебе, несмотря на Зинаиду Гиппиус... черт бы ее взял вместе с Мережковским.

Это Лиле понравилось. Она была девочкой из интеллигентной семьи. Интересно, а Ринат слыхал про Зинаиду Гиппиус? Скорее всего нет. К тому же он уехал, и еще я его боюсь.

— Ладно, давай встретимся. После работы.

— Я за тобой заеду. Во сколько?

— Позвони мне часов в шесть, я скажу.

— Спасибо!

Странно, подумала Лиля. Он же мне так нравился... У него такой голос... А я больше не вибрирую... А Ринат... Стоит только мысленно произнести его имя и такая вибрация начинается... Как будто я мост, а по мосту идет в ногу рота солдат. Или роты мало, чтобы мост рухнул? Надо полк? Боже, какая я дура... И как все странно в жизни. Разом пусто, разом густо... Опять зазвонил телефон. А это кто?

— Лиль, ты еще не ушла? — спросила Мила.

— Выхожу. А что?

— Хочешь, до работы подброшу? Мне как раз в ту сторону?

— Хочу!

— Тогда через десять минут спускайся!

— Договорились!

Такое случалось нередко. На пути от ее дома до издательства риск попасть в пробку был минимален. Лиля уставилась в зеркало. Наверное, не стоит совсем отвергать Артема... Хотя о замужестве речи уже быть не может. А почему? Я что, собралась замуж за Рината? Глупости какие... Я просто не хочу замуж! Вообще! Я хочу прыгать с трамплина... Мне это понравилось... Я наверное слишком рано вышла замуж и мне было так скучно... А прыгать с трамплина весело и кто знает, вдруг я выиграю в этом виде спорта очень ценный приз? Какой приз ты хочешь выиграть, идиотка? Рината? Да, очень ему нужна не первой молодости московская пиарщица... С его-то возможностями... Чушь собачья.

— Лиль, ну ты где? — позвонила снизу Мила.

— Прости, бегу!

— Ты чего такая? Что-то случилось за ночь?

— Нет. Просто только что позвонил Артем. Хочет встретиться.

— Пойдешь?

— Пойду, — немного неуверенно проговорила Лиля.

— Большого восторга не слышу. Концепция что ли поменялась, как в том анекдоте? У нас опять Ринат в предмете?

— Да нет... Сама не знаю... А впрочем, не буду ничего загадывать...

— Правильно. Кстати, мне сегодня приснилось, что ты заблудилась в джунглях...

— Фу, какая гадость... Не хочу в джунгли.

— Никто тебя туда и не гонит. Кстати, а давай-ка мы с тобой в этом году махнем куда-нибудь в теплые края? Ты теперь девушка одинокая, никакие мужья под ногами не путаются, поедем вдвоем...

— Но я смогу только после ярмарки. Не раньше середины сентября.

— Роскошно! А куда, Лилька?

— Мне в общем-то все равно, лишь бы теплое море. Только в Турцию не хочу.

— Ну еще бы! Твой муженек обожал эту Туретчину. Можно в Грецию, можно в Испанию, в Израиль, в Тунис, в Египет...

— Куда-нибудь, где есть жизнь за пределами отеля.

— Ага, поняла! Будем бегать по магазинам?

— А что, тебе кисло?

— Мне сладко! Ладно, я займусь. Вторая половина сентября, да?

— Да!

Мысль уехать куда-нибудь после ярмарки, вдвоем с Милкой, чрезвычайно понравилась Лиле и настроение здорово поднялось.

На работе все обсуждали новость: ни с того ни с сего уволили одного из художников, Сашу Уткина. Он много лет тянул лямку, выполняя порой взаимоисключающие указания начальства и ничто не предвещало такого финала.

— А кто вместо него? — спросила Лиля.

— Пока неизвестно.

— Марин, я все-таки уйду! — сказала вдруг Наташа. — Мне все время будет казаться, что меня тоже вот так, в одночасье выкинут. А я не хочу. Я лучше сама... Мне с моей нервной системой так лучше.

— Может, ты и права, — задумчиво проговорила Марина. — А что-то на примете есть?

— Пока не очень, но я проживу, какой-никакой муж есть, прокормит пока. Не могу я так больше...

— Ну что ж, — вздохнула Марина. — Мне жаль, но...

— Сашку жалко, — всхлипнула Таня. — Хороший парень.

Но тут пришел кто-то из авторов и сетования прекратились.

— Лиль, — подошла к ней Влада. — Ты уже с Ахметшиным общалась?

— Да, а что? — насторожилась Лиля.

— Как он тебе?

— Да ничего вроде, пока, кажется, нормальный.

— Говорят, красавец?

— Да, ничего...

— Чего ты мямлишь? Скажи, интересно же...

— Что тебе сказать? Книжка у него интересная, даже очень, голова на месте, человеческую речь понимает, на какой-то супер-рекламе не настаивает. Писателем становиться пока не хочет. К профессиональным советам прислушивается. Чего тебе еще?

— Не пристает?

— Нет.

— Жалко...

— Кому? — засмеялась Лиля.

— А он не гомик?

— Откуда я знаю? Но не похож на гомика.

— Бывают и непохожие...

— Влада, тебе Леонтович нравится?

— Какой Леонтович? — встрепенулась Влада.

— Актер.

— Еще бы! Кому ж он не нравится! А что? Он книгу написал? Будем его пиарить?

— Нет. Успокойся. Просто есть шанс, что он ко мне на днях зайдет. А мне он без надобности.

Если хочешь, я тебе скажу и ты придешь ко мне. А дальше уж твое дело.

— Лиль, ты так шутишь?

— Да нет, вполне серьезное предложение.

— А зачем он к тебе придет?

— Он должен передать мне кое-что.

— А когда?

— На той неделе.

— Лилечка, я тебя умоляю! Ой, а он женатый?

— Как раз развелся!

— Лилька, я тебя обожаю! А ты про него что-нибудь знаешь?

— Да нет, разве что говорят, он хороший парень. А ты погляди в Интернете.

— Ой, обязательно, но уже дома. Тут не выйдет. Лиль, а как твой-то?

— Существует. Сегодня обещал заехать.

В половине шестого позвонил Артем.

— Лилечка, какие планы?

— В принципе через полчаса я буду свободна, хотя мне еще надо заехать к одному автору...

— Я довезу. Ты там надолго?

— Нет, мне только плакаты передать и билеты.

— Отлично. Через полчасика спускайся.

Как странно, подумала Лиля. Совсем еще недавно я от его звонка приходила в трепет, а сейчас спокойна, как пульс покойника. Неужели дело в его дочке? Да нет, дело в Ринате. Эта застарелая болезнь оказалась хронической и дала такой рецидив... И это плохо, неправильно. Артем он хороший, надежный, неопасный... У него даже машина надежная, основательная, джип «Лексус», а у Рината красная, спортивная, «Лексус» куда удобнее. Но адреналин... Мне нужен адреналин! В моей прежней жизни его совсем не было. Вот и Артем... Когда он возник, был такой выброс адреналина, а потом его не стало... как-то сразу не стало... И дело не в дочке, хотя это тоже не подарок... Черт возьми, а я ведь даже не знаю, женат ли Ахметшин, есть ли у него дети. Дура! Нельзя так... Человек в меня влюбился, хотел на мне жениться... На адреналине долго не протянешь... И в постели с Артемом очень даже неплохо, а Ринат... Я об этом ничего не знаю, тот единственный раз не в счет. Скорее всего тут одна видимость... Ладно, сейчас я многое пойму, вот увижу Артема...

Она побежала вниз по лестнице, ждать лифта было лень.

— Лиля!

Он ждал ее в дверях издательства с букетом хризантем. Дурак, кто же в июне дарит хризантемы?

— Привет, мое солнышко! Вот, держи.

— Спасибо, Артем.

— Знаешь, я понимаю, дарить хризантемы летом как-то глупо, но я подумал, раз мы еще куда-то заедем, неизвестно сколько цветам валяться в машине, а хризантемы неприхотливы...

Надо же, какой проницательный и предусмотрительный.

— Садись. Дай поцелую, я соскучился ужасно.

— Артем, не здесь. На глазах у всего издательства.

— Ничего страшного. Ты же не замужем, чего тебе бояться. И рабочий день кончился. Итак, куда мы сейчас едем?

— Да тут недалеко, в Марьину Рощу.

— А точнее?

— Я покажу, там поворот с Шереметьевской.

— Понял. Пристегнись.

— Ох, черт!

— Лилька, ну как ты?

— Нормально. Работы много. Даже очень много. В сентябре ярмарка, а перед ярмаркой у нас всегда бешеные нагрузки.

— А отпуск когда?

— Я же недавно из отпуска. Но после ярмарки все равно на недельку уеду.

— Куда?

— Еще не знаю. Этим Милка занимается.

— Милка? Эта та девица, что была с тобой на выставке?

— Да.

— И ты с ней поедешь отдыхать?

— Конечно.

— И что за радость отдыхать вдвоем с подругой?

— Еще какая! Во-первых, у нас с Милкой полное взаимопонимание, во-вторых, одинаковые биологические часы и вкусы.

— Она что, не замужем?

— Нет. Но у нее есть любимый человек.

— Но он с ней отдыхать не ездит?

— Нет.

— Лиля, почему ты так говоришь со мной?

— Как?

— Односложно, холодно. Ты меня не простила?

— Артем, мне абсолютно не за что тебя прощать. Ты ни в чем не виноват.

— Тебе так не понравилась Вероника?

— При чем тут Вероника? Она ребенок, который вполне естественно не хочет обзаводиться мачехой.

— Лилечка, ну что ж делать? Такая судьба... Но мы же можем встречаться, быть вместе по мере сил и возможностей, правда? Ты же как будто не стремишься непременно замуж?

— Нет. И мы... можем встречаться... — без всякого энтузиазма откликнулась Лиля. — Артем, вот тут направо, потом налево. Еще раз направо и вон к тому подъезду. Вот тут, спасибо. Подожди меня минут пять.

Она выскочила из машины. Как тяжело, как будто бревна таскала... Если он захочет ехать ко мне, я ни за что не соглашусь. Я не смогу притворяться. Я его больше не хочу!

Когда она вернулась, Артем вдруг спросил:

— Лиля, ответь мне честно, у тебя появился кто-то другой? Только не ври мне!

Какое счастье, что он задал этот вопрос!

— Да. Прости, Артем, я бы все равно тебе сказала... Я не умею врать и притворяться. И я нисколько не обижусь, если ты сейчас уедешь.

— Глупости, я довезу тебя до дома... Вероятно, ужинать со мной тебе неохота. Быстро ты, однако...

— Артем, это не быстро. Просто я случайно встретила человека, которого любила в юности. Мы не виделись много-много лет, а тут... Все вспыхнуло...

— Избавь меня от подробностей. Мне от этого не легче.

— Прости. Знаешь, высади меня все-таки у метро.

— Нет, я сказал довезу, значит довезу. А позволь спросить...

— О чем?

— Этот человек... Он женится на тебе?

— Боже мой, Артем, что за навязчивая идея? Я русским языком сказала — я не хочу замуж! Мне все равно, женится он на мне или нет!

— А дети у него есть?

— Не знаю!

— Как это?

— Вот так! Не спрашивала!

— Так обрадовалась, что даже не спросила?

— Нет, так испугалась...

— Его?

— Себя!

— Правильно испугалась. Уже глупостей наделала. То ли еще будет!

Лиля смолчала. Она поняла, что он взбешен.

— У него деньги-то хоть есть?

— Не спрашивала.

— А так не видно?

— А я не понимаю! Мне вон Милка сказала, что твоя машина очень крутая. А я этого не поняла.

— А Милка — главный учитель жизни?

— Она самая лучшая моя подруга.

— О! Это она тебе посоветовала плюнуть на меня и...

— Артем, пожалуйста. Не порти впечатление о себе.

— Да куда уж больше! Только глянула на мою несчастную дочь, сразу впечатление померкло...

Причем не ты глянула, а твоя Мила, главная советчица в жизни! Лучше бы мать спросила. Она, по крайней мере, умная женщина.

— Артем, проигрывать надо уметь! — не выдержала Лиля.

— А я ничего не проиграл! Ты еще приползешь ко мне, когда твоя романтическая любовь даст сбой.

— Успокойся, не приползу! Знаешь, если бы я хотела держать тебя про запас, я бы навешала тебе на уши полтонны лапши, переспала бы сегодня с тобой, а сама бы крутила другой роман. Да еще и тянула бы с тебя деньги и подарки. Но это другой случай! Ты, видно, привык к женщинам иного пошиба. И мне тебя даже жаль!

Он вдруг резко затормозил.

— Лиля, прости меня, ради Бога прости! Я наговорил тебе черт знает чего... Я просто был не в себе от обиды... И от боли... Прости, прости!

Он схватил ее руки, стал целовать.

Ей это было неприятно.

— Хорошо, Артем, я понимаю и прощаю...

— Лилечка, дорогая моя, любимая, ты позволишь мне хоть изредка звонить тебе?

— Звони. Всегда лучше оставаться в нормальных отношениях...

— Спасибо, спасибо, ты права. Как всегда права.

— До свидания, Артем. Мне тут совсем недалеко. Пока!

Она выскочила из машины и припустилась бежать. Он не стал догонять ее. Вот и все! С этой историей покончено! И почему-то совсем не жаль...

Черт побери, а какая интуиция у Вероники, думал Артем. Хорошо, что они не познакомились, а то вдруг бы Ника к ней привязалась, а она выкинула бы такой финт... Я как-нибудь переживу, и не такое переживал, хотя тошно, когда твоя женщина объявляет тебе напрямую, что встретила другого. И ведь месяца не прошло... Скорая девушка Лиля. Ох, скорая! А зачем мне такая? На третий раз переспала со мной, и вдруг уже новая любовь... Хороша цена ее любви... И все-таки хотелось бы знать, кто этот герой? Судя по всему, — Лиля девушка романтическая, — наверняка какой-нибудь нищий художник, непризнанный гений, который высосет из нее все соки, а потом увлечется новой музой... Так ей и надо! Так и надо! И не буду я ей звонить, какого черта? Ждать, когда она разочаруется в своем гении? Нет уж, Лилия Андреевна, не дождетесь! Видали мы таких!

Придя домой, Лиля рухнула в кресло. Ничего себе сцена! Она чувствовала себя абсолютно вымотанной. Может, позвонить маме? Она умеет тремя словами утешить... А разве я нуждаюсь в утешении? Да нет, все правильно. И слава Богу, эта история закончилась.

Зазвонил телефон.

— Лиля, прости, что дергаю...

— Да что ты, Марина!

— Лиль, такое дело, ты не смотаешься на два дня в Питер с нашими тетками?

— С какими тетками?

— Ну, с Бекасовой и Васильковой! С ними Дашка должна была ехать, но она так простыла...

— А когда?

— Да завтра уже, там встреча в газете, и три в магазинах. Они тетки невредные, пальцы гнуть не будут.

— С удовольствием, Мариночка! С огромным удовольствием!

— Вот и отлично. Дашка уже все подготовила, билеты есть, гостиница заказана, машину дадут. Собственно, их можно было бы и одних отправить, но они первый раз вместе едут, вдруг что-то не так... Лучше, чтобы был человек от издательства.

— Марин, да я с удовольствием! У меня же там мама.

— Значит, тебе гостиница не нужна?

— Конечно, нет.

— Еще лучше!

Повесив трубку, Лиля сообразила, что мама звала ее на выходные в Минск, и позвонила матери на мобильный.

— Алло, Лилёнок! Как ты?

— Мамочка, ты где?

- В аэропорту.

— Куда летишь?

— Домой. У нас тут перемена графика, выбралось три свободных дня...

— Здорово! Мамочка, я завтра вечером буду в Питере, у меня командировка! На два дня!

— Лилёнок! Какая радость! Ты будешь очень занята? Надеюсь, остановишься у нас?

— Конечно!

— Вот и чудно! Повидаемся, поговорим! Лилька, я так рада!

— Я тоже, мамочка! Только не устраивай мне встречу на вокзале. Я везу двух наших писательниц, нас будет встречать машина. Я их поселю в гостинице и приеду к тебе.

— А какие писательницы?

— Бекасова и Василькова.

— Василькову я читала, даже снималась в сериале по ее роману. А про Бекасову только слышала. Но она же детективы пишет, а я детективы не очень люблю... Их надо позвать в дом?

— Да что ты, мама! Совершенно лишнее. И вообще, они не мои авторы.

— А кто твои авторы?

— Мам, не по мобильному!

— Ах да! Лилёнок, до встречи! Целую!

Как удачно, что подвернулась эта поездка, хотя кто знает, как еще обернется с этими тетками? Авторы — народ капризный.

Лиля знала, что о Васильковой и Бекасовой в издательстве говорили, в основном, с симпатией. Отличительной чертой обеих было наличие самоиронии. Что спасало их от спеси, часто присущей многим авторам. Обе были весьма успешны, но кто знает, не начнется ли перетягивание одеяла на себя во время совместных мероприятий, а как следствие — ревность, раздоры и скандалы? Хотя Марина уверяла ее, что все будет нормально.

— Да просто тот факт, что обе согласились поехать и выступать вдвоем говорит сам за себя. Они знакомы и, кажется, вполне друг дружке симпатизируют. Так что не дрейфь, Лилька!

Василькова, пожилая дама со следами былой красоты и Бекасова, статная, белокурая, очень привлекательная, лет сорока пяти, как сели в поезде рядышком, и как открыли рты, так и не закрыли их до самого Питера. Лиле не слышно было, о чем они болтали, но она понимала, что разговор, наверное, увлекательный. И спокойно задремала. Тетки ей понравились. С ними будет легко, решила она.

В Питере их встретил славный немолодой водитель Юрий Эльдарович и повез в гостиницу.

— С ума сойти, я не была здесь почти тридцать лет! Но все помню, как будто это было вчера! — ахала Василькова. — Вы, Лиля, тогда еще не родились даже!

— А почему? Не так ведь сложно приехать в Питер? — спросила Лиля.

— Несложно. Но у меня в Питере нет ни одной знакомой души, а я люблю ездить туда, где есть с кем хоть словом перемолвиться.

— Я так тебя понимаю... — проговорила Бекасова.

Лиля сразу отметила, что за время пути тетки перешли на «ты»!

— Так понимаю... Я год назад приехала сюда, хотела одна побыть... Но мне так плохо было, так тоскливо...

Машина переехала на Петроградскую сторону.

— Ой, если я не ошибаюсь, тут где-то рядом с мечетью должен быть дворец Кшесинской! — воскликнула Василькова.

— Совершенно верно, вот он!

— Ну надо же, помню! — сама себе умилилась Василькова.

Как странно, думала Лиля, совсем еще недавно, когда я приехала в Питер, все мои мысли были об Артеме, хотя я только что развелась с Денисом. А сейчас... Сейчас все мысли только о Ринате... И как здорово, что подвернулась эта командировка. Тетки явно беспроблемные. Хотя, конечно, сейчас они уже здорово устали, а кто знает, как будет завтра. Слава Богу, гостиница оказалась классная. Лиля заглянула в оба номера. Там все было вполне роскошно. Два следующих дня будут довольно напряженными, но это и к лучшему. А про Артема совсем неохота думать. Быстро, однако.

Дверь ей открыла Полина Сергеевна.

— Лилёнок! Ты устала! Идем ужинать!

— Мамочка, мы ехали бизнес-классом, нас кормили ужином!

— Ну вот, а Сонька готовила! Соня, она не хочет есть!

— Лилечка, что за дела! Здравствуй, моя дорогая, ты не можешь так меня обидеть! Что ты ела в этом вашем поезде?

— Рыбу! Вполне приличную рыбу!

— Глупости, идем за стол, там все легкое! Пирогов я не пекла.

— Мамочка, а Мироныч не вернулся?

— Нет. Вернется еще не скоро.

— Ты скучаешь по нему?

— В меру, — улыбнулась Полина Сергеевна.

— Мама, ты завела роман?

— Нет, так, легкий флирт, но это освежает, придает глазам блеск. А что Артем?

— Нет Артема.

— Как нет? Он, надеюсь, не умер?

— Для меня умер. А так... жив-здоров и невредим мальчик Вася Бородин!

— Лилёнок!

— Извини, мама.

— Но глаза у тебя горят... Я бы даже сказала в них появилось что-то мне совсем незнакомое... Лилька, колись, — шепнула Полина Сергеевна.

Лиля смерила мать долгим взглядом. И вдруг решилась.

— Мамочка, пойдем к тебе, надо поговорить.

— Отлично. Иди в свою комнату, надень халат и приходи ко мне! Залезем в одну кровать и пошепчемся, как в детстве, помнишь?

— Еще бы! А ты помнишь, как бабушка сердилась?

— И чего она сердилась? Ты выросла, а я так и не поняла...

— Вероятно, бабушка боялась, что во время этих бесед ты меня научишь чему-нибудь дурному.

— Научила?

— Не знаю, мамочка. Может, сейчас это и выяснится.

— Лилька, приходи скорее.

— А твои вечерние процедуры?

— Успеется!

Лиля быстренько переоделась и побежала к матери, пока не прошла охота откровенничать.

Мать и дочь залезли в широченную постель, обнялись.

— Лилёнок, кто он? — с места в карьер спросила Полина Сергеевна.

— Мама, ты помнишь Рината Ахметшина?

— Боже мой, Лиля, зачем?

— Мама, я не знаю, зачем, но...

— Лилёнок, не надо, он же просто хочет отыграться на тебе за мое к нему равнодушие... И откуда он вообще взялся на твою голову?

— Мама, все не так! Совсем не так! Он вообще даже не узнал меня!

— Как это?

Лиля рассказала о своем новом знакомстве с Ринатом.

— С ума сойти... Похоже, и вправду судьба... Но все же не надо... Мне не нравится это... Ты же ничего о нем не знаешь...

— Это не совсем так. Я читала книгу, она в достаточной степени исповедальная...

— А обо мне... Обо мне там есть?

— Нет. Там только сказано, что позади осталась безумная и неосуществленная любовь. Он уехал и все.

— Жаль... Интересно было бы прочитать, что он обо мне думал... А впрочем, это ерунда. Но ты из-за него рассталась с Артемом?

— Да нет... не знаю, я просто перестала вибрировать.

— А с Ринатом вибрируешь?

— Не то слово... Мама, я вдруг подумала, тебе, может быть, неприятно это слышать?

— Да Боже упаси! Я никогда его не принимала всерьез. У меня никогда с ним ничего не было...

— Мам, не надо... Я случайно слышала твой разговор с Лорой после Парижа...

— Ну и что? Один раз не считается!

— Мама! — засмеялась с облегчением Лиля.

— Лилёнок, пойми, он просто был мне неинтересен. Да, я переспала с ним в Париже. Так, мимоходом... Да, он великолепный мужик, но не мой... И я буду только рада, если у тебя с ним что-то будет, он и вправду хорош. Но серьезных планов строить не надо.

— Мама, я вообще никаких планов не строю, тем более серьезных. Я хочу быть свободной. И у нас ничего пока нет. Мне он в отличие от тебя интересен, и всегда был... Ты ведь не знаешь, мама, он был моим первым мужчиной...

— То есть как? Он объяснялся в любви мне, а жил с тобой? Мерзавец! Скотина!

— Мама, тише! Все опять не так. Когда ты уехала тогда к своему Вернеру, он пришел ко мне, рыдал, только что головой об стенку не бился, я его утешала, ну и доутешалась. А потом он сгинул. Только и всего.

— И он тебя не узнал?

— Нет. Но во-первых, я стала блондинкой, вообще изменилась с тех пор, к тому же он как-то сказал, что у него плохая память на лица.

— Но ведь это легко может выясниться и ты будешь глупо выглядеть, Лилёнок!

— Понимаю, но еще глупее было бы сейчас в этом признаться...

— Да, пожалуй... Но как тебе кажется, он тоже тобой заинтересовался?

— По-моему, да.

— Лилечка, а с ним есть о чем говорить?

— Да. И он, странное дело, умеет слушать. С ним получается диалог. Денис совсем не умел...

— Такое впечатление, что Денис вообще ничего толком не умел.

— Ну, что-то наверное умел, только я не замечала. Или не со мной. Нам вообще не следовало жениться. Или надо было разбежаться через полгода.

— Что ж не разбежались?

— А мне тогда казалось, что все так живут. Жена работает или учится, ведет хозяйство и ей с мужем скучно.

— Лилёнок, раз так, то мой тебе совет: бросайся с головой в этот омут. Думаю, большого счастья не обретешь, но адреналину нахлебаешься. А потом, с опытом и разочарованиями, станешь совершенно неотразимой зрелой женщиной и все мужики будут твои. А забеременеешь от него, тоже хорошо. Ребеночек красивый получится. Вырастим, ты же вот выросла без отца и я считаю, что у меня самая лучшая дочка на всем свете.

— Мам, выходит, ты меня благословляешь на этот роман?

— Да не то, чтобы... Но все-таки! Только смотри, если тебе хоть на секундочку покажется, что он догадался, что он просто хочет отомстить таким образом мне, беги без оглядки.

— Мам, а там, в Париже...

— Что?

— Тебе показалось, что он по-прежнему тебя любит?

— Нет! Наоборот! То есть в первый момент, когда мы столкнулись... Мы оказались в одном отеле, у него так вспыхнули глаза... Мне почудилось... Но потом я совершенно четко поняла, что он не простил мне того равнодушия и просто реализовал свою давнюю мечту и все. Он успокоился. Он из породы победителей все-таки, добился своего и зачеркнул...

— Тебе было обидно?

— Да нет! Я никогда его не принимала всерьез, я никогда не увлекалась мальчиками. Даже сейчас. Мужчина, который старше тебя... с ним чувствуешь себя моложе.

— Мамуль, но сейчас-то где ты найдешь такого, кто был бы старше тебя и еще на что-то годился?

— Кто ищет, тот всегда найдет! — засмеялась Полина Сергеевна.

— А Мироныч?

— Что Мироныч? Мироныч уезжает надолго, я не поручусь, что он хранит мне верность... Короче, у меня все в порядке.

— Да, мамочка, бабушка была права... — улыбнулась Лиля.

— В чем это?

— В том, что ничему хорошему ты меня не научишь.

Утром за Лилей заехал Юрий Эльдарович, повез ее в гостиницу за тетками. Обе были уже готовы. И радостно улыбались.

— Лиля, мы сейчас куда? — спросила Бекасова.

— В газету.

— А там что будет? Интервью?

— Насколько я поняла, это будет просто беседа, из которой потом слепят интервью.

— Но нам его покажут предварительно? — поинтересовалась Василькова.

— Должны.

— Ох, иной раз такого напишут...

— Да уж! — согласилась Бекасова.

Беседа с главным редактором газеты, милой молодой женщиной, вылилась в обычный бабий треп о мужиках-козлах. О том, что они выродились, никуда не годятся и все в таком духе. Лиля слушала их со смехом. Старые, а туда же... И думала: «Эх, знали бы вы Ахметшина...» Но они не знали, бедняжки!

Когда они вышли на улицу, Бекасова спросила:

— Лиль, мы не очень много глупостей наболтали?

— Очень! — ответила за нее Василькова.

И все трое расхохотались.

— Так, что у нас дальше? — осведомилась Василькова.

— Сегодня две встречи в магазинах, а завтра одна. И еще завтра телевидение.

— Как телевидение? — всполошилась Бекасова.

— Надеюсь, не ток-шоу? — уточнила Василькова. — Ненавижу ток-шоу. Чувствую себя там полной дурой. Сидишь, ждешь возможности что-то сказать, иначе зачем пришла,
правда? Приготовила какую-то мысль, и вдруг,
бац, и кто-то другой эту мысль перехватил.
И надо мгновенно сориентироваться, придумать что-то еще и при этом не ударить лицом в
грязь. Ужас! И еще я заметила, что я, человек в
общем-то не злой, на ток-шоу начинаю жутко
злиться, там, как правило, столько идиотов!

— Да-да, я согласна! Я уже давно для себя решила — на телевидение ни ногой! Только если на
интервью!

— Тут как раз небольшое интервью! — успокоила разволновавшихся дам Лиля.

— Когда у нас первая встреча?

— Первая в пять, вторая в семь.

— Ничего себе! Ну ладно. Лиля, как мы по-
няли, у вас тут родные, можете быть свободны.
Давайте только договоримся, где и когда встречаемся.

— Давайте в половине пятого у того магазина,
который я вчера вам показывала.

— На Невском?

— Да.

— Отлично, девушка! Можете быть свободны. Галь, пошли в Гостиный двор?

— Пошли!

И оживленно беседуя, дамы двинулись в сторону Гостиного двора.

Да, правы были наши. Нормальные тетки, ничего из себя не строят и, похоже, нашли друг друга. Болтают, не покладая языка. Небось охота поговорить на профессиональные темы, это ж не со всяким автором получится.

Лиля вернулась к матери, но той дома не было. Она взялась за телефон, созвонилась с магазинами, с телевидением, позвонила в Москву, Марине, сказать, что все нормально.

— Лиль, тут от Ахметшина звонили, просили сказать, что он задерживается.

— Да? А кто звонил?

— Не знаю, какая-то женщина.

У Лили все внутри оборвалось. Какая же я дура! С чего я решила, что он свободен как ветер и только и ждет моей благосклонности? Вполне возможно, что у него есть жена и целый сонм любовниц по всему миру... А что, у такого роскошного мужика так и должно быть... И при чем тут я? Просто я поверила его книге, а там он одинокий волк... Но ведь там много придуманного... Хотя я точно чувствовала, где правда, а где выдумка. Казалось, эту книгу писал очень одинокий человек. Хотя чего я переполошилась? Мало ли кто мог звонить по его просьбе? Наверняка, у него есть какие-то секретари, референты или как там это еще называется. Я ж ничего о нем не знаю... Задерживается... Спасибо, предупредил. И что я себе вообразила?

Как назло пошел дождь, небо было низкое, со свинцовыми тучами... Настроение испортилось вконец.

— Лиль, иди обедать! — позвала Софья Яновна.

— Иду! А что на обед?

— Суп-пюре из кабачков и судак со шпинатом.

— Хорошо, вкусно.

— Да ты сперва попробуй, потом говори вкусно. Ты чего нос повесила? Кавалер не звонит?

— Да нет, просто погода плохая... Солнышка хочется.

— Ишь чего захотела! Клубнику будешь?

— Буду! С молоком.

— И то славно. Хоть поешь как человек. В Москве-то теперь небось и не готовишь?

— Факт, не готовлю.

— То-то я гляжу, еще ни одного рецепта у меня не взяла. Плохо, желудок испортишь!

— Да нет, Софья Яновна, я отдохну полгодика, а как захочется домашней еды, глядишь, и опять встану к плите.

— А кавалера не кормишь?

— Вот еще! Пусть он меня кормит!

— Тоже правильно. По нынешним-то временам. А кофе будешь?

— Нет, спасибо, кофе буду с нашими дамами пить. У нас Бекасова все время кофе пьет.

— Ну-ну, как угодно барышне.

— Софья Яновна, вот поела как человек и настроение выправилось.

— Конечно, с голодным брюхом какое настроение.

— Что правда, то правда. Спасибо огромное, но мне пора бежать.

— Зонтик возьми, дождь на улице.

— У меня нет, забыла.

— Так материн бери, у нее их целая коллекция, выбирай любой!

Лиля выбрала ярко-желтый длинный зонт с лиловыми ирисами.

— Красотища какая!

— А Полька никогда его не берет. Я спрашиваю, зачем купила. Понравился, говорит. Любит она деньги мотать... А они ей нелегко достаются. Погоди, возьми вон еще шарфик к зонту есть.

— Шарфик к зонту? — удивилась Лиля.

— И не только шарфик, а еще и сумочка вот для покупок.

Шарфик и сумочка были наоборот, лиловые с желтыми ирисами. Лиля с удовольствием повязала шарфик, здорово оттенявший бежевый плащ.

— Я Польке скажу, пусть тебе это все отдаст, она ж не носит.

— Нет, не нужно!

— Нужно, нужно, ты молодая, тебе сгодится.

Настроение поднялось еще больше. Лиля покрутилась перед зеркалом, поцеловала Софью Яновну и умчалась.

Дождик как назло перестал. Лиля повесила восхитительный зонтик через плечо. Какая мама умница, что взяла в дом Софью Яновну, очень дальнюю родственницу из крохотного приволжского городка. Софья Яновна осталась одна, жить стало не на что и мама предложила ей переехать в Петербург. Та долго не хотела, говорила, что не привыкла быть кому-то в тягость. Но Полина Сергеевна закричала на нее: «Какая тягость? Ты что? Да у меня минутки свободной нет, дом запущен, муж недокормлен. Если ты возьмешь на себя хозяйство, я буду самая счастливая женщина Санкт-Петербурга и Ленинградской области!»

Чувство юмора было вполне присуще Софье Яновне и она согласилась. Как выяснилось позже, было у нее и чувство стиля. Постепенно из провинциальной учительницы она превратилась в заправскую экономку или домоправительницу знаменитой актрисы, словно была персонажем старых русских пьес и водевилей. Все друзья дома ее почтительно обожали, Юрий Миронович целовал ей ручки, Полина Сергеевна платила хорошее жалованье, водила на спектакли, привозила подарки и нежно заботилась, когда Софья Яновна прихварывала. Словом, эта история обеим пошла на пользу. Софья Яновна не чувствовала больше одиночества.

— Лилечка, вы появились, и кончился дождь. Боже, какой зонтик! И шарфик к нему! Галя, смотри, какая прелесть! — воскликнула Василькова.

— Лиля, это в Питере куплено? — спросила Бекасова.

— Понятия не имею! Это мамино...

Тут зазвонил ее мобильник.

— Да, мамочка?

— Лилёнок, я забежала домой, мне Сонька сказала, что дала тебе зонтик с ирисами!

— Да. А он тебе нужен?

— С ума сошла? Я просто хочу сказать, что теперь это твой зонтик! И все, что к нему. Целую!

— Я была не точна. Это уже мой зонтик! — радостно засмеялась Лиля. — Мама позвонила, чтобы сказать об этом.

Дамы умиленно переглянулись. Обеим очень нравилась Лиля.

Первая встреча в книжном магазине полностью провалилась. И не то, чтобы никто не пришел. Нет, народ был. Но совершенно невозможно было понять, чего ради он сюда приперся. Лиля старалась, как могла. Объясняла какие это известные и популярные авторы, какие у них огромные тиражи, но все было тщетно. Ей казалось, она кричит в пустоту. Никто ничего не говорил, никто не задавал вопросов, как это принято на подобных встречах. Директор магазина, сравнительно молодая женщина, кинулась на помощь. Она говорила, говорила, говорила, Лиля смотрела на несчастных писательниц. Однако они отнюдь не выглядели несчастными. Тихонько о чем-то шептались. Наконец, Василькова решила подбодрить аудиторию.

— Господа, вы все-таки пришли сюда, значит, что-то вам интересно. Спрашивайте, не стесняйтесь, и не бойтесь, мы же специально для этого сюда приехали! И мы не кусаемся!

Молчание.

Бекасова тоже попыталась как-то оживить публику.

Напрасно.

— Вот что, Галя, — обратилась к новообретенной подруге Василькова. — Мы тут никому ни на хер не нужны, пошли отсюда!

Она решительно поднялась и вышла из-за стола. Бекасова за ней.

— Хотела бы знать, зачем они пришли? Ужас какой-то! Как будто стена между нами. А самый ужас эта тетка, Галь, ты видела эту тетку в рейтузах? Такое впечатление, что она не только ни тебя, ни меня не читала, а вообще книг в глаза не видела! Я как ее приметила, сразу поняла, это будет облом! Уж сколько у меня этих встреч было в разных странах, но такого... Помню, в Америке, в крохотном городишке, как бишь его, забыла, словом, в Силиконовой долине, пришло мало народу из-за жуткого дождя, хотя предполагалось гораздо больше. Но там получился такой чудесный, такой добрый и заинтересованный разговор. Вообще, когда народу меньше, разговор лучше получается... А тут... А, я поняла!

— Я тоже, кажется, поняла. Наша публика испугалась дождя и не пришла, а сидели тут те, кто от этого дождя спрятался. И мы им, как ты, Катя, справедливо заметила, ни на хер не нужны.

— Это я виновата, — сказала Лиля. — Я должна была их расшевелить, заинтересовать...

— Лиля, ты тут ни при чем! — успокоила ее Бекасова. — Эту аудиторию ничем не проймешь. Меня тоже тетка в рейтузах как загипнотизировала. Я ведь могу хоть два часа языком молоть, я экскурсоводом работала, а тут меня как заморозило. Вот только еще одна встреча сегодня... Если так же будет...

— Галь, плевать! Просто в книжных магазинах в Москве и, видимо, в Питере, народ уже нажрался...

— Да, вот я была в Рязани...

— А у меня часто бывают встречи в Израиле... Тетки принялись обмениваться впечатлениями о своих встречах с читателями. Да, повезло мне с ними, подумала Лиля. Попади в такую историю, например, Строганова или Ушатова, такие бы истерики начались, а эти вон сидят, пьют кофе и смеются.

Однако вторая встреча прошла хорошо. Там все было, как обычно. А третья, на другой день, почти триумфально.

— Ну вот, Галя, а ты боялась!

— Да это в основном твои читатели были!

— Ну и что? Мои настоящие читатели люди воспитанные, и как бойко они покупали твои книжки? Просто ты на рынке позже появилась. Вот что, пошли все в ресторан!

— Пошли! Лиля, у нас сколько еще до поезда?

— Два с лишнем часа. Но вы идите, а я заеду домой, вещи надо взять и попрощаться.

Уже в поезде Лиля сказала:

— Дамы, вам привет от Марины Ершовой, я ей все доложила, она спрашивает, вы не хотите вдвоем поехать в Казань?

Дамы переглянулись и хором ответили:

— Вдвоем? С удовольствием.

Сидя всю дорогу позади них, Лиля поражалась. Они продолжали трещать без умолку.

Об Артеме она вспомнила лишь когда поезд подошел к перрону и грянула песня Газманова. Как она обрадовалась тогда, а сейчас даже тени сожаления не было. Как странно всё в жизни складывается. Мне просто нужен Ринат. Холостой ли, женатый ли, детный, бездетный, богатый, бедный, порядочный или не очень, мне все равно. Я его люблю... И, видимо, не переставала любить. Загнала это чувство в подкорку, а теперь оно из подкорки вылезло и я... Я просто умираю от любви, вдруг сказала себе Лиля.

— Мил, ты дома? — позвонила она подруге, понимая что не выдержит сейчас одиночества.

— Ты приехала?

— Милка, что у тебя с голосом?

— Ты где?

— Еду домой. Хотела к тебе зайти.

— Да, Лилечка, приезжай, ты мне так нужна!

— Милка, что случилось?

— Приезжай, не хочу по телефону!

Так, сказала себе Лиля, придется спрятать свою любовь в карман. У Милки что-то стряслось.

Милка выглядела ужасно. Опухшие от слез глаза, отекшее лицо, красный нос.

— Господи, что с тобой? — ахнула Лиля.

— Финита ля комедиа!

— Что?

— Ванька с собой покончил!

— Как? — похолодела Лиля.

— Вот так. Отравился. На даче. Это я виновата.

— Мил, да при чем тут ты?

— Может, если б я его не выгнала...

— Погоди, когда это случилось?

— Сегодня, кажется.

— Откуда ты узнала?

— Мне какая-то баба позвонила... час назад.

— А милиция?

— Что милиция?

— Милиция к тебе не приходила?

— С какой стати? Мы же не расписаны были.

— Все равно... Странно, очень уж на Ваньку твоего непохоже... По-моему, это последний человек, который может с собой покончить... А как же его мать?

— Откуда я знаю? Мы с ней не дружили, мягко говоря... А Ванька, сказали, запил, когда я его прогнала.

— Кто сказал?

— А та баба, которая звонила.

— Странно все... Слушай, а может, его отравили? Просто инсценировали самоубийство? Ты в морге была?

— Кто ж меня туда пустит? Да и вообще... Кому он нужен?

— Он записку предсмертную оставил?

— Откуда я знаю... Меня как кирпичом по мозгам ударило. Я совершенно растерялась...

Лиля почему-то не верила, что Ванька действительно покончил с собой. Либо его убили, либо...

— У тебя есть телефон его матери?

— Я не буду ей звонить. Она во всем обвинит меня! Мне бы только узнать, когда похороны... Господи, ну застала я его с бабой... Ну дала бы в морду... Ну, даже выгнала бы, но не насовсем, а так... Господи, неужели он так меня любил... Я даже и подумать не могла... Я ведь тоже его любила, но он же мужик, они все изменяют... Ну стерпела бы, подумаешь, цаца, изменили ей... А он слабый... мало ли, может, та девка ему навязалась, а он не устоял...

— Ну да, она его изнасиловала на твоем кресле...

— Лилька, не надо цинизма в такой момент. Это как же надо любить, чтобы с собой от любви покончить.

— Дай мне все-таки телефон его матери.

— Зачем?

— Надо!

— Зачем?

— Я узнаю, когда похороны...

— А если ей еще не сообщили? Ты соображаешь?

— Ну конечно! Бывшей сожительнице сообщили, а матери нет? Кто ж это такой чувствительный, хотела бы я знать?

Мила вдруг подняла глаза на подругу. Взгляд ее стал осмысленным.

— Ты что, думаешь...

— Я думаю, что тебе через час сообщат, что его вовремя нашли и откачали...

— Ты думаешь, он жив?

— Мил, голову на отсечение не дам, но...

— То есть, это инсценировка? С целью меня разжалобить?

— Мил, давай сначала мы все-таки хоть что-то узнаем. Тебе сказали, что он умер? Такая фраза была?

— Погоди, я сейчас вспомню. Позвонила баба, плачущим голосом. Спросила Людмилу Андросову,

я говорю, это я. Тогда она начинает рыдать в трубку и что-то бормочет: «...Ваня, Ванечка...» Я испугалась. Говорю, что с ним? А она: «Это он из-за вас,
он яд принял...» Я заорала: «Какой яд?» А она так
злобно: «Мол, вскрытие покажет». Я кричу: «Где
он, в какой больнице», а она мне: «Это вы винова-
ты! Вы его погубили». А потом трубку бросила.

— Мил, дай мне телефон его матери. Я ничего
говорить не буду. Прикинусь, что ищу его по ка-
кому-то делу.

— По-твоему, Лилька, это игры?

— Да.

— Ой, мне страшно, а вдруг нет?

— Перестань дрожать! Давай телефон! — заорала на нее Лиля. — Сию минуту!

Мила протянула ей записную книжку.

— На какую букву?

— На «З».

— Почему? Она же Мария Викторовна.

— Злыдня.

— О! — только и сумела сказать Лиля. — Алло, скажите, как я могу найти Ивана Олеговича?

— А вам он зачем?

— Я с «Мосфильма», из группы режиссера
Тыквина, у нас умер художник по костюмам и
нам срочно нужна замена, вот рекомендовали
Ивана Олеговича, а я никак не могу с ним связаться.

Мила замерла, слушая Лилины импровизации.

— Вы знаете, девушка, Иван Олегович сейчас в больнице...

— Боже мой, а что с ним? Что-то серьезное?

— Да нет, он просто отравился чем-то, врачи сказали, это неопасно и послезавтра его выпишут. Может быть, вы оставите ваш телефон. Два дня ведь роли не играют, наверное?

— Ну, разумеется. Я обязательно еще позвоню. Послезавтра, когда Иван Олегович выйдет из больницы! Ну, что я тебе говорила? — Лиля с торжеством повернулась к Миле. — Он что-то не то сожрал, попал в больницу и решил на этом сыграть, идиот!

— А какая скотина! И рыбку съесть и на кресло сесть!

— Ты вот, Милка, сразу поддалась на эту уловку... Думаю, мама там в сговоре.

— Нет, она меня ненавидела. Она хотела, чтобы Ванечка женился на чистой девушке! Такой, чтобы простынкой наутро махать...

— Да ладно...

— Честное слово! Сама слышала!

— Значит, звонила тебе скорее всего какая-нибудь незнакомка из больницы, которой он запудрил мозги. Мол, у него великая любовь, а ты, мерзавка, довела его до самоубийства... Кто знает, что он сожрал, несвежие суши или пачку-другую снотворного. Мог и кого-то из персонала разжалобить... Фу!

— Да уж! Не зря я его выгнала... Вот тварь! Мужик называется. Кстати, это очень женский способ свести счеты с жизнью.

— Да, мужики или стреляются, или, на худой конец, вешаются. Так что успокойся, подруга. Все путем. Жив твой Ванька, но без тебя ему, похоже, хреновато.

— А мне плевать! Ненавижу! Манипулятор чертов! Да еще с такой мамашей... Видишь ли, это сокровище достойно только чистой невинной девушки. Воображаю, сколько он таких девушек перепортил, козел! Лилька, пошли в «Полосу», мне напиться надо.

— Мил, время первый час!

— Правда? Обалдеть... У тебя есть выпивка?

— Дома есть, но мне завтра на работу. И вообще, с какой радости напиваться?

— Тоже верно. Из-за такого дерьма не стоит. А ведь небось ждет, что я ночью кинусь к нему в больницу, буду прорываться через все кордоны, рыдать у него на груди, а утром увезу к себе и буду в слезах умиления его выхаживать... Нет, ты скажи, они все, что ли козлы?

— Все. Минус один.

— Ахметшин, конечно, не козел?

— Нет, он тигр, но это куда опаснее.

— Ох, Лилька, опять?

— Да, да, да! Умираю от любви! Аж в горле давит.

— Ты матери-то призналась?

— Да.

— А она что?

— Сказала: если любовь, кидайся с головой в этот омут, только не сломай шею. Примерно так.

— А он где?

— Уехал куда-то по своим делам. Вернется на днях.

— Лиль, оставайся у меня ночевать, а я тебя утром довезу до работы.

— Мил, ну мне ж переодеться надо...

— Утром переоденешься, тебе же к одиннадцати, все успеешь. А мы сейчас чайку попьем, поговорим про татаро-монгольское иго...

— Только если не станем говорить про Ваньку. Противно.

— Да о чем там говорить? Он просто еще раз расписался в своем говнячестве. Лиль, а как надо наверное презирать бабу, чтобы попытаться ей впарить такую дешевую туфту?

— Да, подруга...

— Он что ж, думал...

— Мил, ты обещала!

— Все, молчу! Если еще раз упомяну о нем, то ты, пожалуйста, поработай шестикрылым Серафимом.

— Вырвать грешный твой язык, что ли?

— Именно! Кстати я тут в твое отсутствие кое-что придумала.

— Насчет чего?

— Насчет тебя.

— Интересно!

— Слушай, если ты собираешься со своим Чингисханом продолжать играть в дурочку с девичьей фамилией Удалова, то в следующий раз, когда он захочет подвезти тебя до дома, соглашайся. Пусть подвозит ко мне. Я дам тебе ключи.

— Но я же ляпнула, что живу на Юго-Западе...

— Ничего. Он приедет, спросит, как дела, а ты расскажи горестную историю, как тебя залили соседи, пришлось начать ремонт и ты перебралась в квартиру подруги. Поэтому врать тебе придется все-таки меньше...

— А сколько будет длится этот ремонт?

— О! Можно подумать ты не в курсе, что ремонт может длиться годами. А если ты живешь у подруги, то для утех он должен будет вести тебя к себе. Ты ведь не откажешься?

— Откажусь! — твердо заявила Лиля.

— Почему это?

— Пусть он добивается меня.

— Ишь чего захотела!

— У таких мужиков как он, препятствие только разжигает страсть. Я это уже видела.

— Ты решила женить его?

— Нет, но я не желаю стать для него легкой добычей.

— А вдруг он надорвался на истории с твоей матерью и больше не захочет долгой канители?

— Тогда и мне ничего не нужно! Он со мной переспал, исчез черт знает на сколько лет, а потом даже не узнал! Нет уж. Я хочу ему запомниться!

— А выдержишь?

— Постараюсь, — дрожащим голосом сказала Лиля.

— Надолго ли твоих стараний хватит... Он небось не дурак... Знаешь, эта позиция срабатывает, когда ты мужика не любишь и не хочешь, они это чувствуют, и начинают подарки метать, на уши становиться, а если чувствуют, что ты вся таешь, но не даешь, думают — она хочет меня женить и корчит из себя недотрогу. А уж если он тебя вспомнит...

— Тогда что?

— Тогда уж совсем глупо...

— Да, это правда... А вдруг действительно вспомнит?

— Ладно, Лилька, давай спать, я что-то вдруг издохла...

Ровно в восемь утра их разбудил телефон. Мила схватила трубку:

— Алло, Милочка, — раздался слабый голос Ивана. — Милочка, я в больнице...

— Знаю. Меньше надо жрать суши!

— Какие суши? О чем ты! Я хотел свести счеты с жизнью, я не могу без тебя жить, а ты...

— Вань, я на такую дешевку не покупаюсь и прекрасно живу без тебя. В следующий раз бери больше васаби!

— Какая ты циничная!

— Это я трахалась на чужом кресле с чужой бабой? Все, Ванечка, финита ля комедиа!

— Мила, побойся Бога!

— А почему я должна его бояться? Это тебе следует пересмотреть свой образ жизни, а то Боженька накажет. Все, катись колбаской по Малой Спасской!

И она в сердцах швырнула трубку.

— Вот гад!

На работе Лиле сказали:

— Тебя Ахметшин искал. Свяжись с ним!

— Странно, я звонка не слышала. — Лиля вы-хватила из сумки телефон. Ну, конечно, он был разряжен.

— Девчонки, у кого зарядник для «Нокии» есть?

— У тебя дырочка большая или маленькая?

— Маленькая.

— Спроси у Шевцовой в соседней комнате.

— Шевцовой сегодня нет, — сказала Таня.

— Господи, как назло... — расстроилась Лиля. Ей ужасно не хотелось звонить Ринату из ком-наты.

— У Анчутки такой же мобильник, как у тебя. Сходи к ней, — посоветовала Таня.

— Ой, правда!

— Лиль, я теперь знаю, что тебе подарить на день рождения! Второй зарядник! — засмеялась Таня.

— Да ладно, я сама куплю!

Лиля спустилась вниз на два этажа, рванула дверь редакции и чуть не вскрикнула. У стола Анчутки сидел Ринат, держа в руках листы руко-писи.

— Ой! — вырвалось у Лили.

— Лилечка! Я вам обзвонился вчера!

— Ох, Ринат, я же была в Питере, и приехала, у меня дома такое... Соседи сверху залили, ужас просто, паркет дыбом, тапки плавают, как в

«Двенадцати стульях». Теперь придется делать ремонт, а я пока у подруги поживу... Я вчера вещи собрала и к ней. Вгорячах даже забыла мобильник зарядить... Простите, я как раз искала Анну Евгеньевну, у нее может быть есть зарядник... Где она, кстати?

— Сейчас придет. Сядьте, успокойтесь. Что, серьезные повреждения в квартире?

— Не то слово.

— Ремонт должны оплатить соседи.

— Да-да, конечно!

— Вы хоть вызвали кого-то акт составить?

— Да-да, конечно, — лепетала Лиля. Черт, вот завралась!

Он смотрел на нее со скрытой усмешкой. Казалось, он прекрасно понял, в чем дело.

— Я могу вам чем-то помочь?

— Да чем же тут поможешь. Ничего. Я справлюсь.

— А где живет ваша подруга?

— В Графском переулке.

— Да?

— Да. А что?

— Ничего, просто когда-то в Графском переулке жила женщина, которую я безумно любил. А в каком доме?

Лиля с величайшем облегчением назвала номер Милкиного дома.

— Нет, дом другой...

— Ринат, вы меня искали?

— Да. Нам надо будет еще разок спокойно все обсудить, у меня возникли кое-какие соображения. Может, поужинаем вместе, а?

— В котором часу?

— Ну после работы, часов в семь, годится? Надеюсь, вы сегодня позволите мне отвезти вас домой к подруге?

— Конечно, — с облегчением улыбнулась Лиля. Какая я дура и какая умница Милка, хотя тоже дура.

— Так я вам позвоню и заеду за вами.

Тут в комнату влетела запыхавшаяся Анчутка.

— Коллеги, я в цейтноте! — выкрикнула она свою коронную фразу. — Простите, Ринат.

— Ничего страшного, мы тут с Лилей пока кое-что обсудили.

— Анна Евгеньевна, у вас есть зарядник? — взмолилась Лиля.

— Конечно, деточка. Вот, возьми. Только не забудь вернуть. А то я вас, вертихвосток, знаю!

— До встречи, Лиля! — крикнул ей вслед Ринат.

— Хорошая девочка, — сказала Анна Евгеньевна.

— Да, кажется, — улыбнулся Ринат. А про себя добавил: только страшная врушка. Причем врать совершенно не умеет. — И хорошенькая, — сказал он вслух.

— Да, ну, конечно, не такая красавица как мать.

— А кто ее мать? — как ни в чем не бывало спросил Ринат.

— Актриса. Полина Беркутова, вы, вероятно, не знаете.

— Увы, не знаю, — не повел бровью Ринат. Ага, вот и все твои тайны, Лилёнок. Но если ты хочешь играть, что ж, поиграем, так даже интереснее.

— Лиль, привет!

К Лилиному столу подсела девушка лет двадцати семи, образец гламура.

— Здрасьте, — кивнула Лиля.

— Лиль, ну объясни мне, почему по городу развешаны типа щиты рекламные этой старой коровы Васильковой, а я, молодая и красивая, в пролете?

— Так мы ж не Василькову рекламируем, а ее книгу. Там лица и фигуры нет. А книга есть!

— Но у меня тоже есть книга! А при том еще лицо и фигура! Я тоже хочу щиты по городу!

— Хотеть не вредно, — буркнула себе под нос Лиля.

— Лиль, ну а чего типа надо делать, чтобы щиты везде были?

— Вариантов масса!

— Говори!

— Либо писать такие книги, чтобы стать топовым автором, либо самой платить за рекламу, либо вгрызаться в печенки начальству. Впрочем, это вряд ли прохиляет. Ну, или найти спонсора, который либо оплатит, либо насядет на начальство.

— А вон я слыхала, Бекасовой тоже щиты повесят.

— И что?

— Она что ли топовая?

— Топовая, топовая!

— А кто определяет, топовый автор или нет?

— Продажи!

— Чой-то я не пойму, типа если автор хорошо продается, так ему еще и рекламу?

— Ага. Чтоб еще лучше продавался.

— Глупо как-то... Надо рекламировать того, кто плохо продается.

— Примитивный подход. Кстати, я вам дам еще один совет!

— Ну-ка!

— Надо стать звездой гламура! Светиться везде и всюду! Тогда наше начальство скорее всего не устоит и расщедрится на рекламу. Любит оно медийные лица и сиськи. Правда, в таких случаях с продажами все равно будет плохо, но это уже не важно.

— Ты, типа, надо мной издеваешься?

— Нет, я просто перечислила все возможности или по крайней мере известные мне способы обвесить город щитами с вашей рекламой.

— А чего, Мушкеров хорошо продается?

— Неплохо. У него есть своя аудитория.

— Я пробовала читать, скукота!

— На вкус и цвет товарищей нет.

— А как тебе кажется, какой способ мне больше подойдет? — наивно осведомилась красотка.

— Найти спонсора, который проспонсирует все. А главное, объяснит, что вам не нужно книги писать! — не выдержала Лиля.

— Аааа! — завопила девушка. — Ах ты дрянь, ты типа как разговариваешь? Знаю я вас, вы мне все завидуете, потому что я красивая блондинка! Вот я сейчас пойду к Сергею Ивановичу!

В комнату влетела Марина.

— Что тут за крик?

— Марина! Я требую уволить эту девицу!

— Какую девицу? Лилю? Лиль, что случилось?

Лиля не успела и рта раскрыть, как девица заорала, абсолютно утратив весь свой лоск:

— Я требую, чтобы мне дали другого менеджера! Эта сучка просто лопается от зависти и норовит меня ужалить побольнее! Я не позволю так со мной разговаривать! В конце концов я писатель!

— Писатель, писатель! Только успокойтесь! — попыталась ее урезонить Марина.

— Я к ней пришла как к человеку, спросить совета, она ведь обязана мне советовать! А она... А она... Она сказала, чтобы я нашла спонсора, который мне скажет, чтоб я типа книжек не писала! Так вы всех авторов разгоните! С такими наглыми сучками!

Вдруг в дверях Лиля с ужасом увидела Владимира Эдуардовича. Он стоял, с интересом наблюдая сцену. Как он отреагирует, понять было нельзя. Он человек не слишком предсказуемый.

— Вова, мы тут сами разберемся! — махнула рукой Марина.

— Ну почему? Давайте уж разберемся вместе. Для начала, уважаемый писатель, хочу заметить, что ваши познания в зоологии хромают на обе ноги.

Воцарилась тишина. Никто ничего не понял.

— Вы тут кричали, что ваш менеджер сучка, которая норовит побольнее ужалить. Но сучка, представитель семейства псовых, может разве что укусить. А жалят либо насекомые, либо пресмыкающиеся.

Девица только тяжело дышала.

— Далее, я, безусловно, не могу завидовать тому, что вы красивая блондинка, правда? Я могу этому только радоваться! Как мужчина я высоко ценю этот тип женщин. А посему, советую вам успокоиться и впредь, — его голос стал жестким, в нем зазвучали металлические нотки, — попрошу не устраивать истерик. Это не место, здесь люди работают. Лиля, извинитесь! — он подмигнул ей.

— Я извинюсь только в том случае, если извинится так называемый писатель, — ее уже трясло от злости.

— Ладно, я это... извиняюсь типа...

— И я тогда дико извиняюсь... типа... — добавила Лиля, а Вова погрозил кулаком, но совсем не страшно.

Когда возмущенная, но все-таки пристыженная красотка ушла, Лиля в изнеможении откинулась на спинку стула.

— Фу, сил моих нет!

— Молодец, хорошо держалась, — подбодрила ее Таня.

— Но Вова — просто супер! Скажи, Марина?

— Супер-то супер, но кто ее сюда привел? Он привел. Нет, я никогда не пойму, зачем мы всю эту шелупонь печатаем? Лиль, ты чего, совсем сомлела? Возьми ключи от моей машины и пойди полежи полчасика, я тебя прикрою.

Марина знала, что Лиле иногда необходимы эти полчаса.

— Да, спасибо, Мариночка. Девчонки, простите!

— Да иди уж. Только смотри, чтобы тебя не засекли.

Лиля спустилась вниз, вышла во двор, открыла Маринину «Мицубиси-лансер», юркнула на заднее сиденье, накрылась пледом и мгновенно уснула. Через полчаса она проснулась освеженная. Хорошо все-таки иметь свою машину. Сколько раз мама предлагала ей подарить машину, но она всегда отказывалась. А может, стоит все-таки согласиться? Но, с другой стороны, сколько у моторизованных девчонок проблем с их железными друзьями... Ну его. Обходилась и дальше обойдусь. Времени меньше теряешь, когда не стоишь в пробках.

Она достала расческу, пудреницу, помаду, привела себя в божеский вид. Вылезла и в момент, когда собралась включить сигнализацию, ее кто-то тронул за плечо. Она вздрогнула, оглянулась. Ринат.

— Это ваша машина?

— Нет! Моей начальницы. Она попросила кое-что взять...

Кажется опять врет! усмехнулся он про себя.

— А почему у вас нет машины?

— А зачем мне?

— Странный вопрос. Чтобы не таскаться на метро хотя бы. Или вот вчера одна знакомая пожаловалась, что закрыли магазин «Стокманн» на Смоленской, а без машины до всех этих Мега-моллов не добраться. Очень женский подход.

— А черт с ним, со «Стокманном», обойдусь.

— И вы водить не умеете?

— Училась когда-то. Права получила. Но муж за руль не пускал с тех пор, как я на даче у его родителей в забор въехала. Ой, простите, Ринат, мне надо бежать.

— Бегите, Лилечка. До вечера. Вы сейчас такая красивая...

Она сомлела. А он сел в свою красную машину и уехал.

Ой мамочки, что же это делается...

В половине шестого он позвонил.

— Как ваши дела? Когда освободитесь?

— Ой, думаю, не раньше семи.

— Может, мне зайти за вами? Тогда быстрее отпустят?

— Да нет, я должна еще дождаться одного человека.

— Лиля, а этот человек точно придет?

— Точно. Ему это нужнее, чем мне. Ой, вот и он.

— Тогда я через двадцать минут жду вас внизу. Я тут неподалеку.

— Хорошо, спасибо!

На разговор с автором, который пришел за билетами на поезд в Казань, куда он ехал на встречу с читателями, ушло около получаса. Он был мужчина крайне разговорчивый. Вернее, говорливый. Слышал только себя и токовал как тетерев.

— Простите, Валерий Николаевич, меня ждут.

— Любовник?

— Валерий Николаевич! — вспыхнула Лиля.

— Все правильно, дорогая, когда такую прелестную девушку ждет любовник! Все-все! Ухожу. Если любовника заставлять долго дожидаться, он может и слинять. Я сам никогда не жду девушек больше двадцати минут. Как говорится, опоздала, пеняй на себя!

— А я уже опаздываю! Извините.

Она бросилась бегом к лифту. В лифте глянула в зеркало. Чертов тетерев! Даже макияж освежить не успела.

Машина Рината стояла у подъезда. Сам он сидел в машине и говорил по телефону. Лиля дернула переднюю дверцу. Он просиял.

— Лилечка, простите, одну минутку. Садитесь. Алло, да, все, мы договорились. До завтра, — он закрыл телефон. — Привет, я соскучился. Можно в щечку поцеловать?

Она покраснела. Он умилился. И поцеловал. В губы. Ей показалось, что она сейчас умрет.

— Лиля, я... — и поцеловал еще раз. Она ответила.

Странно, тогда, в тот вечер, он не целовал меня в губы... Я еще потом ломала себе голову, что бы это значило. А теперь целует... И что это значит? А целуется он фантастически... Как никто и никогда... Только с ума сойти... И если он сейчас и здесь захочет... я не смогу отказаться...

— Ринат... — простонала она.

— Ох, прости... здесь все-таки не место.

— Ринат...

— Прости... Не удержался... Сейчас я приду в себя. — Он положил руки на руль, опустил на них голову. Посидел так две минутки, поднял голову и улыбнулся. В улыбке этого роскошного неотразимого мужчины за сорок было что-то до ужаса трогательное — смущение, нежность и как показалось Лиле, радость. Она чуть не расплакалась.

— Лилечка, сегодня пятница, вы завтра не работаете, а?

— Завтра? Нет. А что?

— Хочется провести день с вами, поехать за город.

— Да... Конечно... Я с удовольствием.

— А сейчас я умираю с голоду. И вы тоже, да?

— Да...

— Лилька... Какая ты... Я таких не встречал...

Встречал, но не заметил, горько подумала Лиля.

— Куда мы едем?

— А тут неподалеку есть ресторанчик на свежем воздухе.

Действительно, вскоре они приехали в какой-то то ли лес, то ли парк, где была огороженная бревнами территория, там Лиля увидела три деревянных избы, колодец, мельницу, прудик, в котором плавали утки.

— Классно, да?

— Да, я что-то подобное видела. В Казани есть стилизованная татарская деревня. Там и ресторан, и боулинг, и еще много всего...

— А я вот татарин, но никогда в Казани не был... Красивый город?

— Очень!

Он взял ее под руку, оба вздрогнули.

— Идем!

За избами стояло несколько увитых густой зеленью беседок. Они вошли в одну из них и увидели накрытый уже круглый столик, резные деревянные стулья с вышитыми подушками. Газовый обогреватель, пледы на спинках стульев.

Как из-под земли выросший официант услуж-
ливо отодвинул стулья. Лиле ужасно тут понравилось.

— А комаров у вас тут не очень много?

— Не волнуйтесь, — улыбнулся официант. —
Вы их и не заметите.

Меню представляло собой толстенную папку.

— Ого! А как же тут выбрать? Столько всего...

— А что ты любишь больше? Мясо или рыбу?

— Не знаю...

— Тогда позволь, я закажу по своему вкусу,
можно? Ты пить что-нибудь хочешь?

— Одна я не люблю...

— Извини...

— Да я прекрасно обхожусь без спиртного.

— Единственное, что я себе иногда позволяю,
это айриш-кофе.

— Даже за рулем? — улыбнулась она.

— А мы никуда сегодня не поедем... Тут есть
гостиница, вернее, постоялый двор, который,
правда, тянет на полные пять звезд...

— Нет, Ринат, я не хочу! — огорчилась Лиля.
Ей показалось, что если она останется с ним на
эту ночь, тут все и кончится. Ни за что! Хотя
больше всего ей хотелось остаться с ним.

— Почему?

— Потому что у нас... деловые отношения.
И когда к этому примешивается еще что-то...

— Только поэтому? — он очень пристально смотрел на нее.

— Вообще, мы же совсем еще не знаем друг друга.

— Ой ли?

Она похолодела.

— Там, возле издательства, когда мы целовались...

— Вы очень классно целуетесь.

— И поэтому ты не хочешь всего прочего?

— Я боюсь, — вдруг вырвалось у нее.

— Ну нет, так нет.

— Вы только не обижайтесь...

Господи, она совсем ребенок, хоть ей почти тридцать лет. С ума сойти... И вдруг неожиданно для самого себя он подумал: Я хочу от нее детей. Не меньше трех. Хочу, чтобы она была хозяйкой в моем доме... Она будет верной, преданной.

— Лиля, а выходи-ка ты за меня замуж.

Она поперхнулась минеральной водой, закашлялась, на глазах выступили слезы. Он вскочил, похлопал ее по спине, велел поднять руки.

— Ну все, все... Отдышись...

Она была в смятении.

— Ты не ослышалась. Я сказал: выходи за меня замуж...

— Зачем? — задала она вопрос, показавшийся ему более чем странным.

— Зачем замуж? Я хочу этого.

Если я соглашусь, он-таки затащит меня в постель, а если откажусь, никогда в жизни себе этого не прощу... Что же делать?

— Я только недавно развелась...

— И тебе понравилось жить одной?

— Если честно, да.

— А меня ты еще не любишь?

В ее глазах отразилась такая мука...

— Просто я думаю, что вы меня не любите. А я так больше не хочу...

Вот сейчас она ничего не врет. Она действительно боится, что я ее не люблю. Дурочка... Я с первого взгляда понял, вот моя женщина... Но глупо, наверное, сейчас пытаться ей это объяснить, она решит, что я просто хочу с ней сегодня же переспать... Господи, да она вся как на ладони... Теперь таких и не встретишь...

Он смотрел на нее с нежностью.

— Хорошо. Мы еще вернемся к этому разговору, когда с нашими деловыми отношениями будет покончено, однако мы будем видеться помимо работы?

— Если хотите...

— Я не просто хочу, я настаиваю. И не думай, что я отступлюсь. Поверь, я умею принимать решения.

— Ринат, я пожалуй выпила бы бокал сухого вина.

— Отлично! Я сейчас!

Официанта можно было вызвать, нажав на кнопку. Он пошел отменять заказ на номер, сообразила Лиля. Господи, неужто он не шутил? Неужто и вправду хочет на мне жениться? Лилька, не теряй головы... Он сто раз еще передумает. Но какой он... Какие глаза... Руки... Я умираю... Так просто не бывает...

Вернулся Ринат.

— Вино сейчас принесут. Да, кстати, если тебе куда-то захочется, это по дорожке до конца и направо.

— Спасибо, — засмеялась она. — Это кстати. Я сейчас вернусь.

Возвращаясь, она вдруг подумала: Господи, неужели я вот сейчас войду в беседку, а там сидит мужчина всей моей жизни, которому я только что почти отказала? В ней вдруг проснулась такая радость жизни, что она буквально влетела в беседку.

— Лиля, что-то случилось? — улыбнулся он.

— Нет, просто...

На столе уже стояла бутылка вина. Он налил ей.

— За что пьешь?

— За вас!

— За меня? Почему?

— Потому что... Я когда-нибудь потом объясню, ладно?

— Ладно, — засмеялся он. — Скажи, а почему у тебя нет детей?

— Муж был категорически против.

— Понятно... Расскажи что-нибудь о себе, Лилечка. Обо мне ты все прочитала в книге, а я о тебе ничего не знаю.

Ой, мамочки! Нет, я не буду рассказывать о себе, лучше буду развлекать его издательскими байками. И она весело, в лицах, рассказала о сегодняшнем скандале. Ринат нахмурился.

— Мне не нравится эта история.

— Почему? — удивилась Лиля.

— Мне больно и неприятно, что какая-то безмозглая кретинка смеет оскорблять тебя, хамить... И вообще, я тут наслушался о ваших авторах... Знаешь, брось ты это все, выходи за меня. Не будешь терпеть унижения, таскаться в метро на работу, мы с тобой объездим весь мир, у тебя будет все, что ты захочешь, а потом родишь мне детей... Я буду хорошим мужем...

Господи, а ведь он вовсе не коварный соблазнитель, он просто одинокий человек, неприкаянный и... несчастливый.

— Ринат...

— Прости, прости, я знаю, ты любишь свою работу...

— Работу люблю, но в последний год все очень непросто стало... Я подумываю сменить работу.

— Так я же...

— Ринат, я хочу довести вашу пиар-кампанию до конца.

— Хорошо. Как ты скажешь...

Ручной тигр...

— Сменим тему. Завтра у моего старинного приятеля день рождения. Мы приглашены.

— Мы?

— Ну да. Я и моя дама. Поедем?

— Поедем. А где это?

— У него на даче.

— Что ж... Ринат, а вам не тошно в компаниях, где все пьют?

— Нет. Я привык. А если станет тошно, что может мне помешать в любой момент сесть в машину и уехать?

— Тоже верно. Мне нравится, что можно поехать за город и не бояться, что мужчина напьется... Отвратительное чувство зависимости.

— Машину надо водить...

Лиля развела руками.

— А хочешь, я завтра по дороге туда попробую освежить твои водительские навыки?

— Ой, что вы... У вас такая крутая машина.

— А я завтра поеду на другой. Ты непременно захвати завтра права. Договорились?

— Хорошо!

Они посидели еще часа два, болтая обо всем на свете, но оба избегали разговоров о прошлом.

— Лилька, ты чего так поздно? — встретила ее нахмуренная Мила.

— Я ж тебе прислала эсэмэску!

— Да? А я не видела. Где была?

— Ой, Милка, что я тебе расскажу...

— Так, ясно, трахнулась с Ахметшиным!

— А вот и нет! Но он мне сделал предложение!

— Какое?

— Руки и сердца.

— Брешешь!

— Мамой клянусь!

— А ты?

Лиля подробно передала подруге состоявшийся разговор.

— Ни фига себе... Лилька, ты просто дура... Надо было сразу соглашаться... А то передумает.

— Как будто, если бы я согласилась, он бы с гарантией не передумал... Но по крайней мере это будет не так обидно.

— Но в принципе ты согласна?

— Мил, да я даже мечтать о таком не могла!

— Вот и не мечтай. Целее будешь.

— Почему?

— Я тут в Интернете порылась...

— И что?

— У него такие романы были... С топ-моделями, и даже с одной английской герцогиней. Так что особенно губу-то не раскатывай! И ты правильно сделала, что не переспала с ним.

— Милка, если бы ты знала, как он целуется...

— А ты ж, помнится, говорила, что он тогда тебя не целовал. Или я что-то путаю?

— Не путаешь.

— Интересно... Я слышала, что некоторые мужики в губы только любимых женщин целуют... Тогда, Лилька, есть шанс. Эх, вот узнать бы, герцогиню он целовал или только исключительно трахал...

— Боюсь, узнать это мы не сможем, — засмеялась Лиля. — Ой, мне же надо найти мои права...

— Какие права?

— Водительские.

— Это еще зачем?

Лиля объяснила.

— Хочешь клевый совет?

— Давай.

— Это была его идея тебя за руль посадить?

— Ну не моя же!

— Ты, Лилька, постарайся как-нибудь не очень сильно стукнуть его тачку.

— Зачем? — поразилась Лиля.

— Посмотришь, как отреагирует. Обычно эти мачо так любят свои тачки, что теряют голову от злости... Если начнет орать и ругаться, то гони его в шею.

— Думаешь?

— Ага!

— Нет, Милка, нарочно я не сумею. Да и вообще... Я его боюсь.

— А Артема не боялась?

— Нет. Хотя кто такой Артем? — Лиля вдруг закружилась по комнате. — Ой, Милка, я такая счастливая, но мне страшно.

— Слушай, глупости это все. Чудеса иногда все-таки случаются. В конце концов, насколько я понимаю, он человек цивилизованный...

— А что, цивилизованные все нестрашные?

— Тоже верно... Лиль, знаешь, когда мечты воплощаются, это здорово и нельзя на это начхать, правда? Только не надо сразу замуж бежать, и уж тем более венчаться. Поживи с ним так... Поезди по миру, посмотри, какой он в быту. Может, вы не подойдете друг дружке.

— Он детей хочет...

— А ты?

— От него? Хочу! Мне пора уже...

— Ничего, годик можно потерпеть. Главное его узнать получше... А то все так стремительно...

— Да... Ты права...

— Вот если он еще заведет этот разговор...

— Ой, мамочки...

— Что?

— А вдруг не заведет?

— Дурища! Заведет, я уверена, так вот, ты сразу скажи: я согласна! Но на таких условиях. Примет, отлично, не примет, пусть гуляет! В браке с таким типом главное отстоять свои права. В конце концов, что ты теряешь, если он твои условия примет? Работу? Ты все равно подумываешь оттуда слинять. В конце концов, если не сладится, вернешься, найдешь другую работу. Ничего страшного. А годик покататься по миру с таким мужиком очень даже неплохо. Может, он за год тебе так обрыднет...

— Вряд ли...

— Или ты почувствуешь, что обрыдла ему. Тебе это надо? Короче, соглашайся на все, но на твоих условиях.

— Милка, какая ты умная.

— Это потому, что я ни в кого не влюблена сейчас... А влюблюсь, разом поглупею. Так что пользуйся пока...

Ринат должен заехать за Лилей в час дня. На даче их ждали к трем часам. Рано утром она помчалась к себе, с трудом нашла права, пересмотрела все свои шмотки, пришла к выводу, что надеть ей совершенно нечего, хотя шкаф набит битком. А кстати, я же не спросила его, что там такое будет. Я бы надела шорты, но вдруг это окажется неуместным? Надо позвонить ему и спросить, иначе можно попасть впросак. Звонить почему-то было страшно. Но она справилась с собой.

— Лилечка? — сразу откликнулся он. — Что-то случилось? Ты не сможешь поехать?

— Нет, нет, Ринат, я просто хотела спросить, что там за оказия, и как надо одеться.

Он засмеялся. Ласково и сексуально.

— Ты забыла. Я сказал, что там день рождения. Но к трем часам на дачу, естественно, вечерний туалет не нужен. А в остальном надевай, что хочешь. Только имей в виду, что там кошки, собаки в большом количестве и даже ослик. Поэтому белое лучше не надевать.

— Ослик? — задохнулась от восторга Лиля. — Обожаю осликов!

— Вот и отлично. Извини, я сейчас немножко занят, но к часу буду у тебя.

— Да...

— Целую.

— Да...

Значит, лучше всего надеть джинсы и тунику. И никаких каблуков. Она вспомнила, как натерла ноги, гуляя по Питеру с Артемом. Господи, кажется, это было так давно, в какой-то другой жизни.

В час дня ее начало трясти.

— Что ты с ума сходишь? Опаздывает на две минуты. Летом в Москве в субботу тоже пробки. И вообще, он дурак, надо было выезжать раньше или уж во второй половине дня. А кстати, где он живет в Москве?

— Не знаю.

— Ох, Господи! Перестань трястись, идиотка!

Тут зазвонил Лилин мобильник.

— Лиля, я внизу.

— Иду!

— А что я говорила? Приехал, опоздал всего на пять минут. Я выйду на балкон, хоть погляжу на этого героя.

Но Лили уже и след простыл.

Она выбежала во двор. У подъезда стоял Ринат и какая-то смешная маленькая машинка, зеленая и вся расписанная белыми громадными лилиями.

— Вы ездите на такой машине? — поразилась она.

— И не говори. Чувствую себя полным идиотом.

— Тогда зачем?

— А как бы я доехал до тебя? Это же твоя машина. И видишь, лилии на ней. Во-первых, тебе пойдет, а во-вторых, не так легко угонят.

— Моя? — ужаснулась Лиля.

— Твоя, твоя! Современная женщина должна ездить на машине.

— Но, Ринат, что я буду с ней делать? Я не умею...

— Научишься.

— И я не могу принять такого подарка.

— Ерунда.

— Нет, это не ерунда. Это дорогой подарок... Что будут говорить в издательстве?

— Скажешь, любовник подарил.

— Но...

— Ты хочешь сказать, что я еще не любовник? Тогда скажи — жених! Садись. Руль я тебе доверю только за городом. Кстати, выглядишь сегодня отпадно!

— Спасибо!

— Ты не рада?

— Я подавлена.

— Ну вот, я думал ты обрадуешься...

— Она очень красивая.... Только когда вы успели? Ведь аэрография, кажется это так называется, требует времени...

— Да, я это не вчера придумал.

О Господи, подумала Лиля. На фиг она мне сдалась?

— А если я ее разобью?

— Она хорошо застрахована. Пристегнись.

Внутри машина была роскошная, обитая светло-бежевой кожей. И очень вкусно пахла.

— Ты сердишься? — спросил он минут через десять.

— Нет, но я... Это какая-то лишняя головная боль.

— Дурочка, вот сядешь за руль, проедешь километров десять и сразу поймешь, какой это кайф!

— Ринат, но это же дорого, наверное?

— Для тебя — нет! Ты достойна лучшей машины в мире.

— А кстати, что это за марка?

— «Опель-корсо».

— Боже мой!

— Лиля, а ты подумала над моим предложением?

— Да... подумала... Но вы обещали не торопить меня...

— Не могу. Скажи скорее, не мучай меня.

— Ринат... Я... как бы это сказать...

— Просто — да или нет.

— В какое положение вы меня поставили этим подарком? Скажу нет, выйду неблагодарная скотина. А скажу да, какая у вас будет уверенность в том, что я не польстилась на ваши деньги? — вдруг разозлилась Лиля.

Он резко затормозил. Повернулся к ней.

— Господи, вот уж не ожидал такой отповеди. А ведь ты права... Ты умная, тактичная, а я... Где мне было набраться этого? В детдоме? В армии? В каскадерской группе? Прости меня. Прости, если можешь. Я думал, что я мачо, крутой мэн, а я просто мужлан.

— Вы росли в детдоме? — ахнула Лиля, растроганная его тирадой.

— Да. Но я не люблю говорить об этом. Ты простишь меня?

— Учитывая ваше чистосердечное раскаяние, — улыбнулась она. — Прощаю.

У моих детей будет отличная мать. Не только милая и хорошенькая, но умная и с огромным чувством собственного достоинства.

— И я не стану тебя торопить. А что касается машины... Ты все-таки попробуешь сесть за руль?

В его глазах была такая мольба...

— Попробую...

Они выехали за окружную, проехали километров двадцать по шоссе, свернули на боковую дорогу. Он остановился.

— Ну, час настал! Пересаживаемся. Кстати, этой малышкой управлять легко, автоматика.

— Ой, это я совсем не умею.

— Научишься! Вот смотри... — он показал ей, что и как надо нажимать, и вот она уже тронула с места, вся дрожа от страха. Но машина слушалась идеально.

— Не бойся, я рядом, в случае чего, выправлю. Пока тихонечко, вот так. Смотри-ка, получается! Молодец! Да на дорогу гляди. Не волнуйся. Вот так, умница, да ты просто талант! Годик поездишь и хоть на Формулу-1! Ты девушка умная, а машину водить каждый дебил может.

Лиле казалось, что все происходит не с ней, а с героиней какого-то сериала. Мужчина всей ее жизни, главная несостоявшаяся любовь, вдруг материализуется, влюбляется в нее, неузнанную, предлагает руку и сердце, дарит такую машину, специально расписанную в ее честь, учит ее водить... Но в сериалах в этот момент непременно что-то случается... Либо авария, либо какая-то встреча, которая на время сломает эту идиллию...

Она чувствовала себя за рулем все увереннее и набирала скорость.

— Лиля! Сбрось скорость, я кому говорю! — крикнул Ринат, словно сквозь вату. — Сумасшедшая, я кому говорю, тише! — он силой отобрал у нее руль. Сбросил скорость. — Тормози, хватит, хорошенького понемножку! Совсем с ума сошла!

— Цыц! — вдруг вырвалось у нее.

— Что? — опешил он.

— Цыц!

Он смотрел на нее во все глаза. И вдруг захохотал.

— Лилька, родная моя, я люблю тебя. Мне еще ни одна баба на свете не говорила «цыц»!

Она словно очнулась от странного состояния, охватившего ее несколько минут назад.

— А? Что?

— Тебе вдруг показалось, что ты все можешь, да? Что ты самая крутая и можешь даже взлететь на этой расписной тачке? Такое бывает с неопытными дурочками. Поэтому машина пока постоит у меня. А мы с тобой будем ездить за городом или по ночам, пока ты не привыкнешь. Такая эйфория нередко случается в самом начале и можно разбиться насмерть.

— Ринат, а что скажут твои друзья, когда увидят, как ты вылезаешь из такой машинки, совершенно дамской?

— А мне плевать! Вообще, мне уже давно плевать на то, что обо мне скажут!

— Все?

— Все. Кроме тебя! Я сегодня понял, что мне безумно важно, чтобы ты меня любила, но еще важнее, чтобы уважала. Понимаешь?

— Да. Понимаю. И тебе нельзя говорить «цыц»?

Он опять рассмеялся.

— Нет, это можно и даже нужно. Но и я тоже, если ты зарвешься, буду говорить тебе «цыц», хорошо?

— Ринат, останови машину.

— Хватит, я тебя сейчас больше за руль не пущу.

— И не надо. Мы уже скоро приедем, да?

— Еще минут двадцать. А что?

— Поцелуй меня!

— Лилька, нет!

— Почему?

— Потому что тогда мы никуда не поедем.

— А может и не надо?

Ей вдруг показалось, что лучше не ехать в эти гости. Что там может что-то случиться.

— Прости, родная, но ехать надо. Борис мой старинный друг. Неудобно. К тому же я здорово проголодался, а Вика варит такую солянку... Мечта! Ты любишь солянку?

— Ну, как хочешь... — понурилась она.

— Лиль, ты обиделась?

— Нет.

— Ты умница!

Она, разумеется, обиделась. Попросила поцеловать, а в ответ услышала про солянку. Для них все важнее любви... И работа, и жратва... Но я сама виновата, нечего лезть к голодному мужику с нежностями. Ах, Боже мой, это даже хорошо, возникшие было иллюзии рассыпались в прах.

— Ты чего притихла? Устала? Ну еще бы, первый раз за рулем... Ничего, мы уже почти приехали.

— А на ослике можно будет покататься? — решила она сменить тему.

— Нет, это только детям разрешается. А ты так любишь осликов? Хочешь, куплю тебе ослика?

— И он будет жить у меня в квартире? Благодарю.

— Нет. Он будет жить во дворе нашего дома. В Италии ослики не редкость.

Так! Он уже увез меня в Италию! Но тут взгляд ее упал на руки, спокойно лежащие на руле. Боже, какие красивые, сильные руки! Я же люблю его и при чем тут мое самолюбие? Если я из-за своих дурацких амбиций опять потеряю его, то уже второй раз не переживу...

— Хочу! — сказала она. — Ослицу!

— Почему именно ослицу? — улыбнулся он.

— У нее будут ослятки. Ничего прелестнее ослят я не видела!

— А щенята? Котята? А ты видела новорожденных тигрят? А котят пумы? Маленькие все хороши!

— А крокодильчики тебе тоже нравятся?

— Крокодильчики нет, а вот детеныши бегемота прелесть. А зебрята! Ты бы видела... А маленькие жирафы...

— Ты любишь зверей?

— Очень. А ты?

— И я. Но все-таки осленок куда милее бегемотика.

— Вот упрямая баба! — расхохотался он. — Ну, мы приехали!

Ринат погудел у ворот большого участка, обнесенного высокой кирпичной стеной. Ворота раздвинулись. Он въехал на участок. К машине сразу бросилась большущая пушистая собака, с виду совсем не страшная.

Ринат вылез, обошел машинку и достал оттуда сперва Лилю, а потом два объемистых пакета и большую коробку.

К ним уже спешила довольно полная женщина в розовых шортах и белой маечке.

— Ой, надо было купить цветы! — шепнула Лиля.

— Нет, она не признает срезанных цветов. — Вика, радость моя!

— Ринатик! На чем это ты приехал? Это новая мода?

— Викуля, познакомься, это Лиля. И это ее машинка.

— Здравствуйте, Лиля! Очень рада познакомиться!

— Здравствуйте, очень приятно.

— Вика, а где Борис?

— Там! — Вика показала куда-то за дом. — Они уже выпивают! Сам понимаешь! Но скоро обед. Вы идите туда, ребята.

Стол, по случаю хорошей погоды был накрыт в саду. За ним уже сидело человек пять мужчин. Вдоль длинного стола стояли лавки. На конце одной из них спали три кошки. Все черные.

Три черные кошки сразу, как бы чего не вышло, подумала Лиля. В кустах слышались детские голоса. Увидев Рината с Лилей, хозяин дома вскочил, бросился к ним, поцеловал Лиле руку, обнялся с Ринатом. Его лицо показалось Лиле знакомым.

— А я, по-моему, видел вас где-то, дорогая моя.

— Мне тоже показалось...

— Постойте-ка, а вы часом не работали в прошлом году на книжной ярмарке? Да, точно.

— Ой, я вспомнила. У вас была презентация...

Хозяин дома, известный кинорежиссер, выпустил у них в издательстве свою книгу. С ним работала Наташа, но на ярмарке разбираться не приходилось. Наташка тогда сорвала голос, и Лиле поручили провести презентацию, хоть она и была не в теме. Но, кажется, все прошло нормально.

— Вы умница, у вас хватка настоящая, отлично тогда сработали, а я волновался как ненормальный! Первая книга!

— Между прочим, это Борис рекомендовал мне обратиться в ваше издательство!

— Да? — Лиля сразу нежно полюбила этого и вправду славного человека.

— А ты молодец, Ринатик! Какую девушку отхватил! Кстати, Лилечка, давно хотел кого-то спросить из понимающих людей. В чем феномен Семена Беляева? Я пробовал его читать, у меня не получилось. Между тем успех нешуточный, тиражи, реклама... И ведь не детектив, не народное чтиво, но и не литература... Что это? Как? Я, видно, человек старой формации, я не понимаю!

— О, ты посадил Лилю на ее любимого конька, хотя, кажется, она предпочитает осликов, — попытался свести все к шутке Ринат. Но Борис, мужчина лет пятидесяти пяти, был из тех, кто, задав вопрос, во что бы то ни стало, добьется ответа!

— Лиля, вы профессионал, объясните мне!

Но не успела Лиля и рта раскрыть, как один из мужчин, сидевших за столом, заявил:

— Боря, не ставь девушку в неловкое положение. Беляев вполне успешный бизнесмен и отличный пиарщик. Он придумал этот проект и с блеском его осуществил. Принес книгу кому-то из владельцев издательства. Тот взял, у них и не такое еще берут. Заплатил ему гроши, но напечатал. Беляев сам выкупил бо́льшую часть тиража, создав тем самым якобы ажиотажный спрос. Раз столько сразу продано, заказывается допечатка, а его знакомые и знакомые его знакомых ходили по книжным магазинам и спрашивали, нет ли этого шедевра. Пошли разговоры. Стали покупать. Кому-то показалось, что раз все говорят, значит, это что-то стоящее. Дальше больше. Верно, Лиля?

Она в ответ кивнула.

— А куда же он девал эти книги, там ведь сотней экземпляров вряд ли ограничилось?

— Что-то он раздаривал библиотекам, журналам, всем, кто брал. Устраивал благотворительные акции... Вот, кстати, как к тебе попала эта книга?

— Так на ярмарке подарили...

— Вот-вот, это он из своих фондов всем участникам ярмарки презентовал.

— Ну и жук!

— Да, уж.

— С ума сойти! И ведь о нем иной раз всерьез говорят... Обалдеть. Как интересно, Лилечка... А он ведь наглый еще... Я тут не так давно видел какую-то бабью передачу, там его о чем-то спрашивали, так главным козырем было, что он автор с миллионными тиражами и, следовательно, весьма не беден.

— Да! Видели бы вы, как он себя вообще ведет...— вздохнула Лиля.

— Герой нашего времени... Где там несчастному Печорину... Друзья, а ведь это классический голый король!

— Похоже, сейчас вообще время голых королей! — поддержал его кто-то. — Раньше в театре говорили: «Короля делает свита», а в наше время свита делает голых королей!

— Ребята, — вмешался в разговор еще один из гостей, прислушавшийся к разговору. — При чем тут Печорин и голый король? Это ж Мюнхгаузен. Только тот себя из болота за волосы вытащил, а этот умудрился сам себя надуть как шарик и взлететь... Молодчина.

— Пора всем за стол! — крикнула Вика. — Дети, руки мыть!

Откуда-то из кустов выскочило четверо ребятишек от восьми до двенадцати. Им был накрыт отдельный столик неподалеку.

— Викуля, солянка будет? — спросил Ринат.

— А как же! Специально для тебя!

— Ринатик, зачем тебе солянка? — засмеялся Борис. — Солянка под водочку хороша.

— Солянка хороша сама по себе.

— Лилечка, вы тоже трезвенница?

— Нет. Но я за рулем...

— Нет уж, за руль пусть трезвенники садятся. А я как новорожденный, хочу выпить с молодой красивой, и, что тоже важно, умной женщиной.

Лиля расслабилась. Ей тут понравилось. К ослику хозяин обещал свести ее после обеда.

Она сидела между Ринатом и хозяином дома, который любил вспоминать, каким виртуозным и бесстрашным каскадером был когда-то Ринат.

— Лилечка, он когда два года назад появился в Москве, я ему говорю: давай я из тебя российского Брюса Ли слеплю. А тот ни в какую. Завязал, говорит, с этим делом. Тогда я ему роль восточного бандита предложил, а он мне: ты хочешь из меня второго Талгата Нигматуллина сделать? Мне это не нужно, и вообще я на кино забил. А вам бы хотелось, чтобы на нашем экране появился такой красавец?

— Нет, не хотелось бы, — покачала головой Лиля.

— Интересно узнать, почему?

— Потому что это не его...

В разговор вмешалась одна из дам, присоединившихся к компании за столом, видно, чья-то жена.

— Ну, тут как раз все понятно. Если бы Ринатик появился на экране, число претенденток было бы таким, что не разгребешь. Конкуренция, деточка, все понятно.

— У моей Лили нет конкуренток! — громко, но твердо заявил Ринат.

— Боюсь, ты и сейчас заблуждаешься, но если бы ты стал звездой экрана...

Ринат посмотрел на нее взглядом тигра, забывшего о жестокой дрессуре при виде куска мяса. Свежего, еще кровавого.

— Поверьте, Лиля вне конкуренции.

— Хорошо, хорошо! По-видимому, тут любовь... — С испуганной улыбкой пошла на попятный дама.

Тигрик мой, подумала Лиля и сердце замерло от восторга.

После обеда Лиля познакомилась с осликом по кличке Ушат. Он был чудесный, Лиля кормила его морковкой, целовала в лоб, гладила.

— Я подарю тебе такого же, — шепнул Ринат. — Скажи мне, да или нет?

— А разве тебе надо это знать? Ты, по-моему, уже все решил без меня...

— Ты так улыбаешься... Борь, а что если мы с Лилей пойдем на полчасика погуляем?

— Погуляем?

— Да, именно погуляем, — холодно подтвердил Ринат. — Лиля любит полевые цветы...

— Идите, ради Бога! Но к восьми возвращайтесь, будет шашлык.

Когда они вышли за ворота, одна из дам заметила:

— Дурочка она, если на что-то рассчитывает...

— А, по-моему, он влюблен в нее по уши, — возразила хозяйка дома.

— По уши, не по уши, но поверьте, на него сейчас открывается такая охота... Богатый, красивый, нестарый, живет в Италии... А тут не слишком молодая, не слишком красивая работающая девушка...

— А как же любовь? — поинтересовался Борис.

— Любовь? Любовь, Боренька, это сказочка для бедных. Обычно знаешь, чем заканчивается сейчас любовь для богатых? Ссылкой. Ты в курсе, что на Лазурном берегу есть целый городок, забыла как называется, так туда наши олигархи ссылают своих жен.

— Как это? — спросил кто-то.

— А так! Выстроили дивной красоты и роскоши комплекс и ссылают туда баб, те живут в роскоши, но дорога домой им заказана. С ними не разводятся, потому как невыгодно, но в Москве живут или поживают с юными девицами, в ос-

новном из провинции. Это называется свежее
мясо. Так что если даже этот потрясный мужик и
женится сгоряча на этой дурехе, то скоро бросит
ее или, в лучшем случае, сошлет на Лазурный берег. Где ей устоять в сравнении с лохматым золо-
том Пети Лестермана?

Борис вдруг разозлился.

— Слушай, ты, не надо всех по себе мерить!
Ты так говоришь, потому что бесишься. Рвешься
к этим гламурным кругам, а не пускают!

— Боря! — одернула мужа Вика.

— А почему я должен у себя в доме слушать
гадости о своих друзьях?

— Лиль, ответь мне.

— Я не могу в двух словах...

— А зачем в двух? Достаточно одного, да или
нет.

— Понимаешь, Ринат, я всем сердцем, всеми
фибрами души хочу сказать «да».

— Так в чем же дело?

— В том, что у меня... у меня есть некоторые
условия...

— Ты хочешь составить брачный контракт? —
вдруг напрягся он.

— Что ты! — испугалась Лиля. — Я даже не
думала об этом, просто...

— Ну, говори же...

— Я... я... хочу пока, допустим год, не оформлять брак...

— Почему?

— Ну как... мало ли что... вдруг мы не подходим друг другу, вдруг за год поймем, что нам не надо жить вместе... вдруг ты встретишь другую женщину...

— Или ты мужчину? Да?

В ее глазах отразилось такое изумление, что он все понял. Ей такая мысль даже в голову не приходит. И все-таки она выдавила из себя:

— Или я... мужчину... Да мало ли...

— Это единственное условие?

— Ну в общем да... Остальное проистекает из него...

— Что остальное?

— Ну, я хотела бы все-таки работать, быть независимой.

— Работать в этот условный год? Зачем? Я хочу показать тебе мир... Мне вовсе не улыбается жить в Москве и ждать тебя с работы. Ты же говорила, что хочешь уйти...

— Ринат, пойми... Сейчас я уйти просто не могу.

— Да я понял, но после вашей драгоценной ярмарки?

— После ярмарки...

— Подожди... Это все хорошо, условия не страшные. Я вполне могу их принять. Но я не задал тебе самый главный вопрос: Ты-то любишь меня?

Он лукавил. Он по ее глазам видел все. Но хотел услышать ответ.

— Да. Я люблю тебя... Очень...

— Тогда ты должна в ближайшие дни познакомить меня с твоей мамой...

Она предполагала нечто в этом роде и выдала заранее заготовленную враку:

— Мама же сейчас в Чили.

Он чуть не расхохотался, но решил что еще рано ее разоблачать и момент неподходящий.

— В Чили? А что она там делает, твоя мама? Ткани расписывает?

— Да нет, у нее роман...

— С чилийцем?

— Да.

— Ну, в принципе можно слетать и в Чили за благословением матушки...

Кажется, он нарочно меня мучает. Он знает?

— Ну, ладно, в Чили мне неохота лететь... Подождем, пока твоя мама вернется. Тем более, что ты не хочешь официального брака, а на связь с мужчиной тебе мамино благословение не нужно?

— Ринат...

— Знаешь, сегодня мы поедем ко мне, у тебя ведь ремонт. Ты согласна?

— Да. Я теперь уже на все согласна, — она решила, что пора. А утром, если все будет хорошо, она ему скажет... Надо ж быть такой дурой...

Он обнял ее посреди дороги и стал целовать. Она закрыла глаза, прижалась к нему. Ничего... теперь он простит и поймет, он ведь уже любит меня... В какой-то момент она открыла глаза. И увидела его глаза. Из светло-зеленых они стали почти черными.

— Лилька, что ты со мной сделала? Ты вьешь из меня веревки...

— Я ничего... я просто люблю тебя... С первого взгляда.

— И я. Вот увидал и подумал: это моя женщина. И счастлив этим.

— Ринат, но у тебя же наверное есть кто-то?

— Это не так называется. Не есть, а бывает. Но больше не будет. Знаешь, я вообще верный человек...

— А как же полигамия?

— А черт ее знает... Я верный, если люблю... а просто так, за ради удовольствия... Зачем?

— А куда ты меня повезешь для начала?

— В Италию, домой. А потом, куда ты захочешь. Весь мир к твоим услугам!

— Я не была в Италии.

— Тогда мы сначала объездим Италию. Ты в Бога веришь?

— Нет. А ты?

— Я верю в судьбу. Может, это и есть вера в Бога, а?

— Я не знаю... Я просто уже плохо соображаю... Неужели ты и вправду меня любишь?

— Дурочка! Любимая дурочка! Имей в виду, мне нужно трое детей. Два парня и девочку.

— Ну, этого я не могу тебе обещать, — засмеялась Лиля. — А вдруг будут все парни?

— Ничего, сойдет.

— А если все девочки?

— Тогда будем рожать до победы.

— Нет уж. Больше трех я не выдержу. Я еще и пожить хочу!

— Ладно, пусть будут все девчонки! С ними проблем меньше.

В кармане у Рината зазвонил телефон.

— Да. Борис! Сейчас уже идем. Будем минут через двадцать, — он спрятал телефон. — Как время-то пролетело. Уже восемь почти.

— Сколько же мы целовались? Два часа?

— Счастливые часов не наблюдают. Вот уж точно замечено. Ай да Пушкин!

— При чем тут Пушкин? Это же Грибоедов! — воскликнула Лиля с некоторым ужасом.

— Ах да, верно. Это в твоих глазах ужасное преступление?

— Да, лет на пять потянет.

— Вот в путешествиях ты займешься моим культурным багажом. Обещаю, тебе работы хватит.

Как странно, мелькнуло в голове у Лили, я вот боялась, что Артем не знает Гиппиус и для меня это было важно. А Ринат и вовсе спутал Пушкина с Грибоедовым, но от этого он мне еще милее и дороже... Чудеса в решете! Любовь!

Все опять сидели за столом, пили, ели, а Лиля мечтала поскорее слинять. Однако Ринат ввязался в какой-то спор с двумя мужчинами и, казалось, забыл о ней. Лиле стало грустно, и она решила навестить Ушата. Но едва она успела погладить чудное животное, как прибежали дети. Оказывается, по вечерам детям Бориса вменялось в обязанность чистить ослика. С ними прибежали и гости. Лиля предпочла уйти. Она боялась расплескать что-то очень важное — ощущение счастья. Вдруг она почувствовала на себе тяжелый взгляд. Оглянулась. Какая-то девочка смотрела на нее с такой ненавистью, что Лиля обомлела. И вдруг узнала ее. Это была Вероника, дочь Артема. Откуда она взялась здесь? И почти тут же увидела Артема. Он подходил к столу с бутылкой шампанского в руках и пока ее не видел. Господи, зачем? Артем явно был навеселе. Что делать? Спрятать-

ся? Глупо. Просто подойти к Ринату, сесть рядом. Он непременно положит ей руку на плечо
или на колено, тем самым обозначив: это моя
женщина. А что сделает Артем? Вдруг в памяти всплыла фраза, как-то сказанная им: мой сосед кинорежиссер... Значит, он сосед Бориса...
Хотя чего мне бояться... Я же все ему сказала!
Я ничего ему не должна, но кто знает, как поведет себя обиженный и к тому же пьяный мужик? И пока Ринат еще в пылу спора, я лучше
не пойду к нему.

— Лиля, ты чего по кустам прячешься? —
спросила Вика.

— Я тут увидела одного знакомого, мне не хочется, чтобы он меня заметил.

— Ты о ком? Об Артеме? Он чудный мужик.
Только в последнее время что-то много пьет.
Кажется, его женщина бросила. Слушай, а это
не ты?

— Я. То есть не так... там Вероника вмешалась... И вообще...

— Ох, это его крест! Очень тяжелая девочка.
А ты его любила?

— Мне просто показалось. Но тут Ринат...

— А Рината любишь?

— Больше всего на свете.

И тут же до них донесся громкий голос Рината.

— А где моя Лиля? Кто похитил мою люби-
мую женщину? Ау, Лиля! Лиля!

— Иди! А то он весь поселок на ноги поднимет!

— А, вот ты где? Прости, прости меня, я как
идиот ввязался в спор... Тебе было скучно? Да?
Давай-ка поедем!

— Давай! — несказанно обрадовалась Лиля.

Вдруг сзади раздался голос:

— Папа! Папа! Иди сюда скорее, посмотри, я
опять была права! Ты совершенно не умеешь вы-
бирать женщин!

Лиля похолодела от тона девочки. Он был
просто нестерпимым.

Ринат ничего не понял. Но Артем услышал,
увидел.

Он подошел к дочери и отвесил ей пощечину.

— Ты с ума сошел! — крикнула Лиля. Как
можно бить ребенка, да еще на людях? Она ж
ему этого не простит.

— Ты еще об этом пожалеешь! — прошипела
Вероника.

— Что это все значит? — растерянно спросил
Ринат. Он чувствовал, что эта сцена имеет какое-
то отношение к Лиле. Но ничего не понимал.

— Я потом объясню. Давай скорее уедем!
Прошу тебя, Ринат!

— Здравствуй! Так вот на кого ты меня проме-
няла! Роскошный кобель, ничего не скажешь!

Сейчас будет драка, обреченно подумала Лиля.

— Ринат, не реагируй, он же пьяный! — шепнула она ему, — умоляю!

— Подожди! — стряхнул ее с себя Ринат.

— Ты что себе позволяешь, а?

— Ничего, кроме констатации факта. Ты роскошный кобель, а она...

— Сию минута извинись перед женщиной!

— Еще чего! Ты, брат, не обижайся, просто учти, что она легкая добыча... Я думал, необыкновенная девушка, а оказалось такая же как все.

— Уйди, — прошипел Ринат, — я могу и убить.

— Да брось, они все одинаковые. Просто дырки, так к ним и надо относиться. Я раньше дрался из-за них, вступался за честь, какая там честь... Ты вон ей уже машину подарил, а я просто не успел, вот и получил отставку!

И тут тигр прыгнул. Одно движение и Артем рухнул наземь.

— Папочка! Папочка! Он тебя убил! — завопила Вероника.

— Ринат, ради Бога! Уедем!

Он глянул на нее так, что ей показалось — сейчас он откусит мне голову.

— Встань, падаль! — сказал он Артему и пнул его носком ботинка. Тот стал медленно подниматься. — И запомни! Еще одно слово об этой женщине и тебе не жить!

Он молча схватил Лилю за руку и поволок к машине.

— Сядь. Пристегнись!

Он сел за руль, пристегнулся сам и рванул с места. Он выжимал из маленькой машинки все, на что она была способна.

— Ринат! Не надо так гнать! Я боюсь!

Он как будто ее не слышал.

Вот сейчас мы разобьемся и все кончится. Раз и навсегда. Или уже кончилось? Чертова девчонка!

— Ринат, послушай меня!

У нее было ощущение, что с нею рядом вулкан, который вот-вот начнет извергать огонь и лаву. Но в этой ночной гонке в маленькой тесной машине, в этой едва сдерживаемой ярости Рината было что-то невероятно сексуальное и никогда доселе не испытанное. Она уже не боялась, а хотела его. И желание с каждой минутой нарастало. Он вдруг резко свернул с шоссе на проселок, промчался метров двести, съехал на обочину, затормозил. Выскочил из машины, обежал ее, рванул Лилину дверцу, за руку выволок ее и ни слова не говоря швырнул в траву.

Они очухались уже под утро.

— Прости меня, — сказал он.

— Простила, — усмехнулась она. — Это было так романтично. Первая ночь на траве...

— Я обезумел.

— А с тобой такое часто случается?

— Раза два в жизни...

— Жаль...

— Лилька!

— Правда, жаль... Это было поистине прекрасно!

— И ты не обиделась?

— Я люблю тебя! Давно люблю, а сейчас еще больше, хотя в какой-то момент мне показалось, что ты можешь меня убить.

— Ну все, хватит валяться на траве. Поехали.

— Куда?

— Ко мне. Не к твоей же подруге ехать.

— Я даже не знаю, где ты живешь?

— У меня квартира на Малой Никитской. — Если б ты знала, какой я голодный...

— А давай заедем куда-нибудь позавтракаем. Есть же круглосуточные заведения.

— Нет, нельзя, Лилька. У тебя такой вид...

— Неприличный, да?

— Помнишь, была реклама какого-то средства от импотенции? Мужик там идет такой счастливый и весь в соломе.

— Я вся в соломе?

— Я даже не знаю, как ты дойдешь от машины до моей квартиры. Ты же вся драная.

— Ох, правда.

Блузка была порвана в клочья, молния на джинсах вырвана с мясом.

— Ринат!

— Ничего, что-нибудь придумаем и после завтрака поедем тебя одевать. Я люблю тебя, Лилька! И как честный человек я просто обязан на тебе жениться, официально.

— Ринат, мы же договорились...

— А если ты забеременела?

Она хотела сказать, что у нее спираль, но сочла за благо промолчать.

На Малой Никитской, он достал из кармана ключи от квартиры и сказал:

— Посиди три минутки, я сейчас что-нибудь принесу. Накинуть.

— Хорошо, — сонным голосом сказала она.

Едва он отошел, она заснула. Он вернулся с пледом, накинул на нее. Она спала. Я люблю ее. Он взял ее на руки, она открыла глаза.

— Ринат, я сама.

— Да ладно, штаны еще потеряешь.

Вечером Ринат отвез ее к Миле на своей машине.

— Да, подруга, у тебя на морде все написано, — заметила Мила, впустив Лилю в квартиру. — Ты так ему и не призналась?

— Нет. Не получилось.

— Он, конечно, здорово эффектный. Но, боюсь, тебе придется уйти с работы. Не простят тебе его...

— Я и уйду после ярмарки. Все уже решено. Он принял мои условия.

— Слушай, а что это за дикая тачка была?

— Это была моя тачка.

— Подарил тачку? Круто! Какую?

— Опель-корсо.

— Мог бы что и пошикарнее. А идея с аэрографией довольно безвкусная, должна заметить.

— Неважно, Милка. Я так счастлива...

— Да, это неважно, ты права... Но сказать, кто ты, уже пора. Глупо.

— Да. Он просил познакомить его с моей матерью.

— Допрыгалась, идиотка!

— Я сказала, что у мамы роман с чилийцем и она в Чили.

— Почему в Чили?

— Не знаю, — пожала плечами Лиля. — Далеко.

— Действительно, далеко, — засмеялась Мила. — А что это на тебе за шмотки?

Лиля рассказала ей о происшествии на даче и о том, что за ним последовало.

— Ни фига себе темперамент! Это хорошо, что он его направил в нужное русло, а в другой раз может и пришить...

— Глупости! Он меня любит! И я его... После ярмарки мы поедем в Италию. Милка, я так счастлива! Понимаешь, все оказалось не зря... И даже десять лет тоски с Денисом. Знаешь, если бы я с ним не боролась все время, я бы сдохла. А тут...

— Боролась она с Денисом! Это ж разве была борьба? Ну поступила ты в институт, ну пошла работать... Это так... семечки. Вот сейчас тебе борьба предстоит, будь здоровчик!

— А с кем?

— С Чингисханом твоим.

— Я не хочу с ним бороться. Я хочу ему подчиняться.

— Не вздумай! Свои права всегда надо отстаивать! А то он настрогает тебе ребятни, ты будешь вечно беременная, кормящая, словом, клуша. А ему это надоест. Романтика опять же поманит. И будешь ты как Наташа Ростова в конце романа.

— Пусть, но сейчас я счастлива, как никогда в жизни.

— Он классно трахается?

— Нет слов!

— Ну вот, а ты все хвасталась, что не членозависимая. Это все пока своего мужика не встретишь.

— Да, Милка, теперь я бы так о себе не сказала... — задумчиво произнесла Лиля и подруги расхохотались.

Первое, что Лиля узнала в понедельник на работе — Влада уволилась.

— Да? А почему?

— Молчит, как партизан. Кажется, нашла другую работу.

— А я ведь что-то ей должна... — наморщила лоб Лиля.

— Деньги? Тогда она сама напомнит, — успокоила ее Таня.

— Нет, не деньги, я ей что-то обещала... Но что... Теперь буду мучиться, пока не вспомню!

— Да познакомить ее с Леонтовичем ты обещала! — засмеялась Марина.

— Ох, правда... Но ничего не вышло.

— Перебьется. Девчонки, кому-то еще Леонтович нужен? — со смехом спросила Марина.

— Да нет, для меня он старый.

— А мне он вообще не нравится.

— Ладно, успокойтесь, никто вам его не навязывает! — засмеялась Лиля. И тут же подумала: Милка! Надо Милку познакомить с Леонтовичем. Она от него тащится. Но придется привлечь к этому делу маму. В своем счастье Лиле хотелось осчастливить и лучшую подругу. Но маме надо будет позвонить прямо сейчас. Кажется, она в Минске.

— Алло! Лилёнок, ты как?

Лиля ушла в дальний конец коридора, где было нестерпимо душно и оттого безлюдно.

— Мамочка, у меня все так хорошо... Я так счастлива!

— Ты призналась?

— Нет еще... Мама, он подарил мне машину!

— Стиральную?

— Нет, мамочка, опель! Весь расписанный лилиями!

Полина Сергеевна помолчала.

— Идея вполне в его духе. Верх безвкусицы! Могу себе представить, как у него обставлен дом...

— Дом не знаю, а в квартира у него красивая.

— Ты уже была у него в квартире?

— Мамочка!

— Лилёнок, будь все-таки с ним осторожна. Что-то мне это все не очень нравится. Знаешь, что, завтра в Москву едет Леонтович... Я передам с ним что-нибудь для тебя. Он очень воспитанный, европеец, хороший малый и нуждается в утешении. Прошу тебя, прими его, предложи чаю, может, покорми его, словом обогрей. Рината твоего не убудет, а человеку приятное сделаешь. Мало ли... Только не фырчи. Сделай это ради своей мамочки.

— Хорошо, — к вящему удивлению Полины Сергеевны согласилась Лиля. — Завтра у меня свободный вечер.

— Умница моя. Значит, еще не все потеряно! Я перезвоню тебе через полчасика. Мы сейчас ждем машину на съемки ехать, я по дороге с ним поговорю.

План действия у Лили созрел моментально. Она хотела тут же позвонить подруге, чтобы та успела привести себя в божеский вид. Нет, сперва надо дождаться маминого звонка. Лиля сунула телефон в карман и вдруг увидела, как в противоположном конце коридора появилась странная процессия. Впереди шествовал огромный амбал, державший на руках двух собачек, йоркширского терьера и китайскую хохлатую. За ним шло странное существо неопределенного пола в расшитом блестками розовом камзоле, коротких атласных штанишках, белых чулках и в золотых туфлях с пряжками. Существо походило на придворного из старой кино-сказки. А за ним шли еще два амбала в черном.

Лиля от удивления остановилась. Тут открылась одна из дверей, оттуда выглянула Ира, тоненькая хорошенькая девушка — редактор.

— Ой, мамочки, — воскликнула она при виде процессии. — Лиль, это что?

— Если б я знала!

Между тем процессия приблизилась.

— Барышни, ушли, ушли! — скомандовал амбал с собачками.

— Куда это нам уходить? Мы здесь работаем, — возмутилась Ира.

— Не скроетесь, не будете работать!

— Еще чего! — в свою очередь возмутилась Лиля.

Амбал уничтожил их взглядом и прошествовал мимо. За ним и остальные.

— Ир, это мужик или баба?

— Да вроде мужик, но сильно голубенький. Тоже небось книжку написал. Я его вести ни за что не буду! Ужас какой-то. Смотри, к Вове идут! Пошли, у Нельки узнаем, что за птица.

Они выждали, пока процессия скрылась в кабинете.

— Нель, это что? — шепотом спросили они.

— Анри Додар.

— Это кто? И почему он к Вове с охраной вперся?

— Восходящая звезда шоу-бизнеса. Книжку издать желает.

— Он нормальный?

— Кого у нас это в последнее время волнует? Ладно, девчонки, идите, потом, все потом.

— Ир, ты про такую звезду слыхала? Додар, да еще и Анри! Это надо же...

— Им, Додарам, недоступно наслажденье битвой жизни! — мрачно продекламировала Ира. — Если Вова захочет, чтобы я его вела, сразу подаю заявление об уходе! Сразу!

— Да, надеюсь и меня чаша сия минует.

И девушки разбежались в разные стороны.

Через десять минут позвонила Полина Сергеевна.

— Лилёнок, завтра вечером он заедет прямо с аэродрома. Будь добра, покорми его, я обещала.

— Хорошо, мамочка, покормлю!

Лиля побежала в туалет.

— Милка, — зашептала она в трубку. — Немедленно отправляйся в салон красоты!

— Ты рехнулась на радостях?

— Тебе Леонтович нравится?

— Какой Леонтович? Актер?

— Ну да, да!

— А какая связь?

— Завтра вечером ты в моей квартире будешь изображать меня. Придет Леонтович. Ты должна его покормить и обогреть, ну а дальше на твое усмотрение.

— Его твоя мама присылает для тебя? — смекнула Мила.

— Именно! Мне он ни на фиг не нужен, сама понимаешь! А тебе сгодится.

— И я должна буду изображать тебя? Ты рехнулась, подруга?

— Не обязательно меня изображать! Ты его обогрей, не называясь. Он решит, что ты это я, а потом...

— Лиль, ты часом не сбрендила? Что за дела такие? Ты — не ты, я не я, бред сумасшедшего.

— Ну ладно, не нужен тебе Леонтович, хорошо, мне не сложно покормить его ужином.

— Еще чего! Такой шанс...

— Ну, если шанс, дуй в салон! Все, пока!

Ринат не звонил, не появлялся. Лиле было тревожно. Часов в пять к ним в комнату заглянула эффектная брюнетка лет тридцати пяти.

— Вы к кому?

— Я к Орешниковой.

— Ко мне? Заходите, вы от кого?

— Вот вы какая, Лиля Орешникова... — странным тоном произнесла женщина, с любопытством оглядев Лилю.

— Простите?..

— Мне необходимо с вами поговорить.

— Я вас слушаю.

Женщина молчала, кусала губы, мяла в руках носовой платок.

В издательстве нередко появляются странные люди, зачастую просто сумасшедшие, правда, скорее в редакциях, а не в пиар-отделе. Но эта спросила именно ее.

— А можно не здесь? Не хотелось бы на людях...

Слышавшая все Таня подала Лиле знак не соглашаться.

— Извините, но я не понимаю... — сказала Лиля и у нее вдруг засосало под ложечкой.

Женщина молча вытащила из сумки конверт, и вытряхнула его содержимое на стол. Это были фотографии. Первое, что бросилось в глаза Лиле, был Ринат, державший на плечах двух совершенно одинаковых мальчишек года по три. Третий, побольше, схватился за его ногу. На другом снимке Ринат стоял возле очень красивой женщины, которая склонялась над коляской с близнецами и радостно улыбался.

Лиля сгребла фотографии, запихнула в конверт, вскочила и бросила женщине:

— Идемте!

— Лиля, куда? — спросила Марина.

— Мне надо, Мариночка, мне очень-очень надо. Я скоро приду! — Идемте!

Они молча вышли в коридор, спустились на лифте. Лиля неслась вперед, женщина едва за ней поспевала.

— Куда вы бежите? — крикнула она.

— Во двор.

Во дворе издательства стояла лавочка, на которой обычно курили сотрудники. По счастью сейчас там никого не было. Женщины сели.

— Вы кто? — спросила Лиля.

— Я сестра Фариды. Это она на фотографиях.

— А... дети?

— Это дети ее и Рината. Они еще маленькие.

— Он женат?

— Конечно. Но собрался бросить мою сестру. Умоляю вас, Лиля, оставьте его. Он плохой человек, жестокий и безжалостный. Бросить женщину с тремя детьми... Он и вас так же бросит...

— Погодите. А где живет эта женщина?

— В Германии. Он увез ее туда, не позволяет встречаться с родственниками... Она мне позвонила в отчаянии...

— Но как вы узнали обо мне?

— Я не хочу называть человека... Ринат может с ним расправиться... Не верьте ему, Лиля и, пока не поздно, гоните прочь... Он страшный человек, Лиля... Сейчас вы ему нужны, возможно, он даже увлекся вами, наверняка делает подарки, и вообще демонстрирует все свои лучшие качества. Но он сломает вам жизнь...

— Постойте, а какое вам дело до моей жизни? Вы что, добрая самаритянка?

— Что? — не поняла женщина.

— Неважно, — отмахнулась Лиля. — И чего вы от меня хотите?

— Я хочу защитить свою сестру и племянников.

— То есть, вы полагаете, что если я расстанусь с Ринатом, он вернется к вашей сестре?

— Да. Он все-таки любит детей.

— Но если он такой тиран и злодей, то зачем?

— А как прикажете ей жить с тремя детьми в чужой стране?

— Ну, я не знаю... А впрочем, это все уже не мое дело!

— Лиля, я только умоляю, не говорите ему про меня. Он может и убить... Поверьте, он уже однажды свел счеты с одним человеком, я знаю...

— Вы хотите сказать, что Ринат кого-то убил?

— Да. Не сам, конечно. Хотя может и сам... Если под горячую руку. Поэтому, Лиля, не говорите ему обо мне, просто сведите отношения на нет... так лучше и безопаснее для всех. Простите, что расстроила вас. Я пойду.

— Идите!

Лиля судорожно сжимала пальцами пакет с фотографиями.

— Верните мне фотки!

— Нет. Я оставлю их себе.

— Нет, отдайте, иначе он поймет, откуда ветер дует, а я боюсь!

— Нет, мне они нужны, чтобы помнить...

Женщина попыталась вырвать пакет, но Лиля держала его мертвой хваткой.

— Что ж, пусть... Счастья вам, Лиля!

Она ушла.

Лиля сидела в полной прострации. Но тут кто-то явился курить. Она встала и побрела к лифту. Вот и все. Как любит выражаться Милка, финита ля комедиа. Надо сейчас же пойти к Вове и отказаться работать с Ахметшиным, сославшись на что угодно... придумать какую-то болезнь... Просто уволиться. Но ведь Ринат потребует объяснений... Что же делать? Для начала она хотела отключить мобильник. Но у нее ведь столько работы...

— Лиль, что с тобой? — не на шутку перепугалась Марина. — Что случилось?

— Марин, я не знаю...

— Чего не знаешь?

— Как дальше жить... работать... не понимаю!

— Лиль, я сейчас бегу на совещание. Если хочешь, дождись меня, поговорим, а если дело терпит до завтра, хотя нет, давай, поезжай сейчас домой, а я тебе позвоню, и может, заеду после совещания, поговорим, а?

— Хорошо, позвони, — неживым голосом ответила Лиля. — И я правда пойду, спасибо.

Марина ласково потрепала ее по плечу, держись, мол.

Лиля не помнила, как добралась домой. Рухнула на кровать. Вот и все, вот и все, вот и все, твердила она вслух. Потом вытащила из сумки конверт с фотографиями. Господи, ну зачем, зачем все это? К чему разговоры о детях, которых он так хочет, если у него уже есть трое и какие хорошенькие! И жена красавица... И он страшный человек... Кого-то там заказал... Наверное и своего англичанина пришил ради денег, а вовсе не леопард его загрыз... И вот откуда взялся этот слюнявый конец его книги... Он так бессознательно хотел себя обелить... Такой добренький дядя... Дурак... Сволочь... Зачем я ему? Можно подумать, если бы он не стал ко мне лезть, я бы хуже работала с ним? Ерунда... Всем известно, личные отношения только мешают! Да еще как мешают... Но я же его люблю... Люблю до ужаса... И что? Плюнуть на все? Могла же я не знать ничего этого? Могла. Могла эта тетка меня не найти? Запросто. Не я первая, не я последняя уведу мужа... Кстати, Милка рылась в Интернете, нарыла про него массу сведений, а вот про женитьбу и детей там словечка не было. Может, он официально и не женат? А эту несчастную Фариду просто скрывает от всех? В конце концов он же никакая не звезда, просто довольно богатый человек из Южной Африки, поэтому не представляет большого интереса для папарацци. О его романах со знаменитыми бабами стало известно не из-за него, а из-за них. Так что какую-то дамочку с детишками вполне могли и не заметить.

Очень надо! Но ведь и я могу ничего не заметить... Мало ли какая баба ко мне явилась? А была ли вообще баба? Не было! Но она сказала, что он страшный человек... И мне правда иногда бывает страшновато с ним... Нет, это не страх... Это выброс адреналина... Это любовь... Господи, что же мне делать?

Зазвонил телефон. Лиля вздрогнула. Милка.

— Лиль? Что у тебя с голосом?

— Просто устала, а что?

— Лиль, я все-таки смоталась в салон. Голову новую сделала. А макияж завтра... Я забегу?

— Забегай!

Хорошо, что придет Милка. С ней все можно обсудить.

— Милка, ты покрасилась! Как тебе идет!

— Правда, здорово? Такой мальчик-стилист попался... Завтра к нему же пойду, обещал супер-макияж сделать... Все-таки как важно... Лиль, да что с тобой? Тебе плохо?

— Хуже не бывает, — еле слышно выговорила Лиля.

— Что-то с Ахметшиным?

— Откуда ты знаешь?

— Привет, подруга, я же вижу. Что стряслось?

Лиля молча достала из сумки пакет с фотографиями.

— Это его дети?

— Его. А это его жена, Фарида...

— Ну чего-то в таком роде я ожидала... Слишком великолепный экземпляр... И чтоб достался нам, простым девушкам, да еще практически даром... Но где ты это взяла?

— Добрые люди дали...

— А конкретнее?

Лиля рассказала.

— Даа... Круто... Слушай, так может сама Леонтовича примешь?

— Да пошел он... Тебе надо, а я вообще уже всех мужиков ненавижу. Всех!

— Лиль, это хорошо, но что дальше-то делать? Тебе же с ним еще как минимум работать... И так просто он от тебя тоже вряд ли отступится...

— Если бы я знала...

— Лиль, ты вот любила обсуждать со мной всякие сериалы...

— При чем тут сериалы?

— Ситуация-то аккурат сериальная. Скажешь нет?

— Пожалуй, — печально улыбнулась Лиля.

— И сколько раз ты, бывало, удивлялась: Господи, да если бы героиня в пятой серии начисту́ту поговорила с героем, то уже в восьмой можно было бы ставить точку, а суки-сценаристы растягивают сюжет на сто пятьдесят! Было дело?

— Было. И что?

— А то, что надо тебе с ним поговорить.

— Зачем?

— Ты его любишь?

— Не знаю уже... Я его ненавижу...

— Это один хрен! Короче, поговори с ним, может все это такая же лабуда, как Ванькино самоубийство.

— Нет, Милка, Ванька хотел тебя вернуть. А Ринату зачем это все?

— Ринату незачем... Вроде бы... Тут козе понятно, это нужно его жене. И детям. Черт бы все побрал. Скажи-ка мне вот что, он тебе не намекал на какие-то трудности, на какие-то обстоятельства?

— Какие трудности? Какие обстоятельства?

— Связанные с женитьбой?

— Нет.

— А он легко согласился на твои условия?

— Не очень...

— И не намекал на детей?

— Нет. Сказал, что хочет иметь троих, не меньше...

— И тут трое... Зачем ему еще столько же? Отец-герой? Или просто такая страсть к размножению? Восточный менталитет?

— Мил, не мучай меня!

— Да, а тачка твоя лилейная где?

— У него.

— Вот это мне уже не нравится.

— Почему?

— А потому что странно... Как говорится, подарил, так подарил. Он тебе документы на машину отдал?

— Нет. Сказал, что она пока будет стоять у него, чтобы я сдуру одна не села за руль.

— А ты, конечно, документы не спросила?

— Даже в голову не пришло. Ты думаешь, он соврал, что дарит мне эту тачку? Зачем? Я ж не просила... Да еще лилиями расписал... Ерунда. Просто нам обоим тогда было не до каких-то дурацких документов, — и Лиля горько разрыдалась.

— Кошмар какой-то... — проговорила Мила, целуя подругу. — Опять татаро-монгольское иго... Сколько можно?

— Милка, ну почему, почему так все глупо, так пошло и гнусно? Денис, Артем, теперь и Ринат... Мне казалось, он настоящий...

— Где они, настоящие? Только в кино и в книгах остались. Мы им слишком легко достаемся, вот нас и перестали ценить... Ну их всех к черту... Лиль, а ты не обидишься, если я все-таки завтра приму Леонтовича?

— Да принимай ты хоть самого черта! Но скажи, что мне делать? Просто уволиться? Но я так подведу Маринку и всех девчонок! А тут еще Владка ушла, совсем зарез...

— Ну передай Ахметшина кому-то, расскажи все Марине. Она золотой человек, поможет, придумает что-нибудь, отмажет тебя...

— Не хочу я ее грузить. Ей и так хватает...

— Тогда просто бери себя в руки, иди завтра на работу и выжидай.

— Чего?

— Ну он же должен объявиться. Кстати, он после вчерашнего не звонил?

— Нет.

— Тоже странно. Ты не находишь?

— Мил, мы тут просто переливаем из пустого в порожнее.

— Конечно. Это у нас своего рода медитация.

— Да какая к черту медитация!

— Хорошо, пусть сублимация!

— Да ну тебя! Знаешь, я сейчас ему позвоню. Скажу, что надо поговорить.

— Вот это здраво! Я с самого начала тебе такой вариант предлагала. Но сейчас ты сама до него дозрела. Ты ж не собираешься писать сценарий сериала на сто сорок серий, правда?

Лиля схватила мобильник и набрала номер Рината. «Абонент временно недоступен». Она набрала домашний. Никто не ответил.

— Мил, и что это значит?

— Ну мало ли... Дома его нет, а он где-то вне зоны действия сети. Ничего, дозвонишься.

— А вдруг с ним что-то случилось?

— Ага! Именно сейчас! У тебя есть еще какие-то его координаты?

— Электронная почта.

— Отлично! Самый лучший вариант! Напиши ему, что тебе необходимо с ним увидеться. Наверняка, он получает почту через мобильник или карманный комп. Только напиши без всяких прибамбасов.

— Что ты хочешь сказать?

— Напиши просто: Ринат, мне срочно нужно с тобой поговорить. Без всяких эмоций.

— Какие эмоции по мылу?

— Не скажи! Бывает.

Лиля включила компьютер, открыла почту.

— Ой, Милка, а вдруг он как раз сейчас убивает эту бабу?

— Какую бабу? — совершенно ошалела от Лилиного предположения Мила.

— Ту, которая ко мне приходила? Его свояченица. Она сказала: он меня убьет, если узнает. Вдруг узнал?

— Лиль, ты в своем уме? И вообще, если ты можешь такое хотя бы предположить, значит, надо с ним сразу завязывать! Дура! Идиотка! Ах, я его люблю! Когда любишь, нельзя поверить в то, что он злодей и убийца. Биологически нельзя!

— Что?

— Любовь и такие подозрения несовместны как гений и злодейство! По определению! И какой у нас вывод? Это не любовь! А следовательно не стоит и париться!

— Да, Милка! Круто завернула! Сразу чувствуется адвокат. Зря ты в журналистки подалась, — рассердилась Лиля.

— Вот! Ты злишься, уже хорошо! Пиши! Пиши!

— Не буду. Я вообще больше ничего не буду...

— То есть?

— Пойду завтра прямо к Вове и скажу: «Владимир Эдуардович, пожалуйста, передайте Ахметшина кому-нибудь другому, потому что... потому что... я его люблю...» Он поймет... должен понять... любовь мешает работе.

— Ну ты и дура! Тебе охота, чтобы все издательство знало? Лиля, поверь мне, надо сначала все выяснить, а потом принимать решения.

И тут раздался телефонный звонок. Лиля схватила телефон. Марина.

— Лиль, прости, что я так поздно... Ты знаешь, у нас такое было... Беляев подрался с Ахметшиным.

— Как? — опешила Лиля. — Почему?

— Да никто толком не знает! Мы сидели у Вовы, совещались, вдруг врывается Нелли и вопит, помогите, дерутся! Выскакиваем в коридор, а там они друг дружку мутузят, причем серьезно так, по-взрослому. Попытались разнять, охрану вызвали, но тут Ахметшин его подмял и вырубил.

— Убил? — побледнела Лиля.

— Да нет! Просто отключил ненадолго, — в голосе Марины слышалось ликование. Она терпеть не могла Беляева.

— Марин, а дальше?

— А дальше, стали своими силами приводить Беляева в чувство. Только нам милиции или «скорой» тут и не хватало. Но должна тебе сказать, это было красиво. Беляев-то лосяра натуральный и тоже вроде драться умеет, но Ахметшин был просто неподражаем. Брюс Ли!

— И что теперь?

— Вова увел Ахметшина, а Беляев как очухался, стал орать, что уроет его, что засудит, что ему не жить, и все такое. Хотел мчаться в травмопункт снимать побои, но тут вернулся Вова и уж не знаю как, но сумел его урезонить. Конечно, я не поручусь, что он не подошлет кого-то к Ахметшину, он злая и мстительная скотина... Конечно, завтра уже все издательство будет гудеть, в Интернет это попадет, словом, вони будет много.

— Но милицию не вызывали?

— Нет, слава Богу, обошлось. Ни милицию, ни «скорую».

— А из-за чего дрались-то?

— Неизвестно. Но думаю виноват Беляев. Наверняка схамил Ахметшину. Он в своем величии, видно, не ожидал, что схлопочет...

— Марин, ты, похоже, рада, что Беляеву накостыляли?

— Сама удивляюсь, до какой степени! Ну, а ты-то как? Я тебя не разбудила?

— Да нет, спасибо, что позвонила. Я оклемалась. А теперь ты еще меня развлекла.

— Ладно, я уже к дому подъезжаю. Еле жива. Тогда до завтра.

— До завтра, спасибо!

— Ну что там? Кто с кем подрался? — накинулась на нее Мила.

Лиля рассказала все, что узнала от Марины.

— Классно! Молодец твой Чингисхан! Одобряю! Сейчас небось зализывает раны... Вот и отключил телефон. Ему надо прийти в себя. Вот что я тебе посоветую как бывший адвокат: не делай поспешных выводов, не принимай скороспелых решений, пока не объяснишься со своим хахалем. Все, может, не так страшно. И вообще... Затаись.

— То есть?

— Сделай вид, что ничего не было. А когда он опять заговорит о детях, спроси его с невинным видом: «Зачем тебе дети, у тебя же уже есть трое?» И посмотри, что будет.

— А если он не вернется к этой теме? И вообще все-таки странно, что он не звонил... После всего...

— С мужиками это бывает. У тебя просто опыта маловато. А у меня не раз так было... Захлестнет мужика, а потом он в себя приходит несколько дней. Они ж по-другому устроены... Думают только о себе. А что ты, может, маешься, это им до фени. Все, успокоились. Давай-ка лучше обсудим, чем мне завтра кормить Леонтовича.

— Но он ведь тоже наверняка козел.

— Ну и что? Зато красивый и талантливый...

Всю ночь Лиля не спала, ворочалась с боку на бок, а к утру пришла к выводу: пусть все идет как идет. Пока. Не буду я принимать решений, не повидавшись с ним. Мила ночевала у нее. Они договорились, что вечером Лиля пойдет к Миле, а Мила останется у Лили и будет принимать Леонтовича.

— Лиль, я тебя сейчас отвезу, потом заеду на рынок, приготовлю ужин, приберусь тут... И вообще. Ой, мне ж еще в салон, на макияж!

— Мил, не надо на макияж! Накрась глаза и довольно. Он привык к загримированным рожам, может, его на натуральное потянет, по контрасту.

— Лиль, скажи, почему мы в чужих делах такие умные, а в своих дуры дурами?

Лиля в ответ развела руками.

В издательстве то лько и разговоров было, что о вчерашней драке. История обрастала кучей самых невообразимых подробностей и догадок.

— Лиль, они не из-за тебя? — шепнула ей в коридоре Анчутка.

— Анна Евгеньевна, побойтесь Бога, при чем тут я?

— Кто знает, кто знает...

— Люблю Ахметшина! — заявила вдруг Таня.

Лиля вытаращила глаза.

— Какой мужик! Обалдеть! Лилька, неужели ты еще не влюбилась?

Лиля нервно засмеялась.

— Пожалуй, теперь могу... Герой, ничего не скажешь! Но хотелось бы знать, из-за чего подрались.

— Скорее всего из-за бабы, — подала голос новая девушка Света. — Наверное, Ахметшин у Беляева бабу отбил...

— Какую бабу? — вдруг перепугалась Лиля, — Ты что-то знаешь?

— Откуда, просто догадка... Чего им еще делить? Ахметшин пока никто, а Беляев величина...

— Дутая!

— Не имеет значения! Лиль, а ты бы позвонила Ахметшину под каким-нибудь предлогом, встретилась, может, он бы раскололся, — посоветовала Таня. — Тебе же наверняка есть, что с ним обсудить.

О! подумала Лиля. Мне столько надо с ним обсудить... А что, в конце концов, работа прежде всего.

Она набрала его номер. Слава Богу, абонент явно был в зоне действия сети. Но трубку не брал. Он увидел, что это я звоню... Не хочет отвечать... Все сидели, выжидательно глядя на нее.

— Не слышит, наверное.

— Или не хочет с издательскими говорить после вчерашнего. А может, у него фингал под глазом...

— Лиль, позвони ему с городского. Попробуй!

Это даже хорошо, что они все здесь и не сводят с меня глаз. Легче будет... Она позвонила с городского.

— Ринат? Здравствуйте, это Лиля Орешникова.

Она едва сдержалась, чтобы не разреветься. На ее звонок он не ответил...

— Лилечка, прости, родная моя, я тебе потом все объясню, тут на меня столько всего обрушилось... И ты уж наверняка знаешь, что вчера было в издательстве. Ничего, этот сукин сын еще попомнит...

— Но что случилось? Ринат, тут есть ряд вопросов, необходимо обсудить...

— И у меня тоже есть вопросы, которые надо обсудить. Но я не знаю... Ты вечером будешь дома?

— Да.. То есть... А что?

— Я позвоню. Прости, но так случилось... Куча неприятностей... Ничего, прорвемся. Целую тебя, мой Лилёнок!

Лиля обомлела. Никто, кроме мамы, никогда не звал ее Лилёнком! Что это значит? Он вспомнил или сам придумал?

— Лиль, ну что?

— Не поняла. Говорит, на него обрушилась куча каких-то неприятностей. Вечером позвонит.

— Девчонки, надо нажать на Нельку. Они же подрались совсем близко от Вовиной приемной. Она вполне могла слышать. Но она хранит секреты почище ФСБ. Надо попросить Иру, она с ней дружит, — заметила Таня.

— Ира в отпуск ушла.

— Да, не везет.

— Все, хватит, займитесь делами! — рассердилась вдруг Марина.

Через час позвонила Мила.

— Лиль, скажи, где у тебя мешки от пылесоса? Он забит под завязку!

— Ой, посмотри в стенном шкафу. Я не помню, кажется один еще был. А ты там что, грандиозную уборку затеяла?

— Между прочим, о твоей репутации забочусь. Я тобой прикидываться не буду, но квартира-то, между прочим, твоя.

— Смотри, не перетрудись, а то к вечеру выдохнешься. Кстати, — Лиля выбежала в коридор, — как бы ни было, сегодня ночуй у меня. А я буду у тебя.

— Ринат приедет?

— Я не поняла. Но он спросил, буду ли я вечером дома!

— О, блин! Как все запуталось... Ладно, я побегу. Созвонимся.

К вечеру Лиля была уже сама не своя от волнения. Что значит это «Лилёнок»? Он вспомнил меня и счел это большой неприятностью? Но, с другой стороны, голос звучал так тепло... Или он узнал, что ко мне приходила его свояченица и теперь разбирается с нею? Господи, как страшно... И я уверена, что он первый полез в драку с Беляевым... В издательстве все твердят, что Беляев так это не оставит, наверняка отомстит Ринату...

Господи, как я его люблю, как скучаю, как хочу увидеть... И пусть у него хоть десять детей... Ведь если он захочет их бросить, все равно бросит... Он же не из-за меня... Ой, я запуталась...

Ринат все не звонил. В половине девятого позвонила Милка.

— Он придет через двадцать минут. Лилька, у него такой сексуальный голос...

— Перестели постель! — деловито посоветовала Лиля.

— Думаешь, надо?

— Надо, не надо, ты ж все равно будешь у меня ночевать.

— Твой звонил?

— Пока нет.

Хорошо бы Милке повезло. Она заслужила... А я... Мама говорила развод — трамплин, но с трамплина надо уметь прыгать, а я первый раз прыгнула, отделалась незначительными ушибами, а второй раз... сломала шею. Он уже не позвонит. Время тянулось медленно-медленно. Милка тоже не звонит. Значит, по крайней мере, кормит ужином любимого артиста. Не так плохо...! А я? Я хотела бы кормить какого-нибудь артиста? Разве что бывшего каскадера... Но он не придет. Он понял, что я не его женщина. Конечно, у меня не такой богатый сексуальный опыт, я, наверное, неинтересна ему в этом плане... Он ведь такой... Он слишком горячий, и со мной он здорово погорячился. Не переспав, предложил руку и сердце, а потом понял — не то... В дверь позвонили. Ринат? Она кинулась открывать. На пороге стоял... бывший муж.

— Денис? Ты что здесь делаешь?

— А ты? Ты-то что тут делаешь? Почему это Милка блядует в твоей квартире?

— Денис, ты зачем пришел?

При виде бывшего мужа ей сразу стало смертельно скучно. Лучше все кости переломать, прыгая с трамплина...

— Да вот, захотелось тебя повидать... Ты похорошела... здорово похорошела... Что, у тебя тут тоже кто-то есть?

— Никого у меня нет.

— Так и будешь держать меня в прихожей?

— А что тебе нужно?

— Ничего, просто вдруг соскучился... Я ж теперь работаю в Праге. Приехал на два дня и захотелось тебя увидеть.

— Ну заходи, чаю хочешь?

— А покрепче?

— Нету.

— Я сбегаю.

— Ни в коем случае. Я устала, хочу спать, а не выпивать с тобой.

— Хорошо. Налей тогда чаю.

— Денис, ты ж не просто так явился...

— А вот представь себе!

— Как поживает блондинка в красном авто?

— Понятия не имею. Знаешь, странная штука, она мне уже на другой день после развода вдруг надоела... С ней скучно. Я и сам не понимаю, чего мы развелись... Может, попробуем начать сначала?

— Денис, у тебя все в порядке с головой?

— Сейчас да. А тогда было помрачение. Лиль, знаешь, Прага такой дивный город, я снимаю хорошую квартиру недалеко от Вацлавской площади... Может, поедем, а? Говорят, у вас в издательстве бардак все крепчает... В конце концов, мы же хорошо жили...

— Денис, забудь!

— Но почему? У тебя кто-то есть? Ничего, я прощу.

— Простишь? Ты меня простишь? За что, хотела бы я знать? Он меня простит! Да кто ты такой, чтобы меня прощать?

— Я в некотором роде твой муж.

— Ты не муж! Ты экс-муж! Понимаешь, экс! К тому же мы никогда друг друга не любили. И я только разведясь с тобой, поняла, как мне было тяжело и скучно.

Он вспыхнул.

— Тяжело и скучно? Так какого черта ты со мной жила столько лет? Почему не уходила?

— Сама удивляюсь... Инерция...

— Лилька, ты злишься, я понимаю, ты обиделась, капитально обиделась. Ну прости, считай, я пришел с повинной, ладно, считай, приполз... Мне как-то здорово кисло без тебя.

— Супы некому варить? Если б ты знал, как я ненавижу варить супы!

— И не надо! — раздался вдруг голос за спиной Лили. — Зачем варить супы, если ты это ненавидишь?

— Ринат, как ты вошел?

— Дверь была открыта... Я услышал мужской голос и очень заинтересовался. Кто это тут требует супов?

— Познакомься, это мой бывший муж.

— Очень приятно, бывший муж. А я будущий! Денис вскочил.

— Надо же, уже другой! Быстренько... Что ж, я пойду! С тех пор это уже который?

— Эй ты, экс-супруг, вали отсюда, пока я добрый.

— Да кто ты такой? — закричал Денис.

— Я же сказал, будущий муж.

— Да иди ты! Лиля, хотелось бы понять, почему ты будущего мужа принимаешь в чужой квартире, а?

Лиля похолодела.

— А какое твое собачье дело? Где хочет, там и принимает! У нее в квартире ремонт! Понял? Вали!

— Не ремонт, а притон!

— Так, ты сам напросился!

Ринат схватил его за шиворот и вытолкал взашей из квартиры. Захлопнул дверь.

— Как ты жила столько лет с таким занудой?

— Потому что я... потому что, после того как ты трахнул меня и исчез, мне жизнь была не мила! И было все равно с кем жить. А ты... Ты меня сначала не узнал, потом опять трахнул и исчез, будь ты проклят, окаянный дурак! — закричала Лиля и по лицу ее градом полились слезы.

— Дура ты, Лилька! Я ее не узнал! Конечно, узнал. Но ты хотела зачем-то играть в эти дурацкие игры... Вот я и решил посмотреть, куда это тебя заведет.

— Нет, ты все врешь, ты вообще все врешь!

— По-моему, врешь как раз ты, но врешь глупо, неумело, путаешься в показаниях, выдумываешь невесть какую хрень. Мать родную зачем-то в Чили спровадила, — он улыбался во весь рот и тянул к ней руки. Она пятилась от него, захлебываясь в рыданиях.

— Ты... ты... ты страшный человек, ты, может, даже убийца, у тебя жена, трое детей, а ты разводишь турусы на колесах, родим троих... Зачем, у тебя уже есть трое... Ты все врешь, все время врешь...

— А ну, цыц! — гаркнул вдруг он, сам себе удивляясь. Это слово было не из его лексикона. — Цыц, я кому сказал!

Она изумленно замолкла.

Он вытащил из кармана сверкающий белизной носовой платок.

— На, утрись, дурища. Какие дети? О чем ты говоришь?

— Ко мне приходили, сказали, что у тебя жена и трое детей, жену зовут Фарида...

— Фарида? Что за бред! Нет у меня никакой жены и, кстати, никогда не было. Это у тебя почему-то бывший муж образовался...

— Да? А это? — Лиля схватила сумку, где лежал конверт с фотографиями. — А это что? Это не твои дети, скажешь? Они на тебя похожи!

— Так... Интересное кино... Кто же тебе это принес? Женщина?

— Неважно!

— Нет, важно! Кажется, я знаю. Ей лет тридцать пять. Брюнетка, черноглазая, и ходит на невыносимо высоких каблуках? Да?

— Это неважно. Дети-то твои... И Фарида...

— Дура, какая же ты дура, Лилька! Фарида — жена моего друга, и дети тоже его. Да, я с ними фотографировался, потому что люблю всю эту семью... Кстати, в выходные можем к ним слетать... Увидишь все своими глазами.

— Но тогда... я не понимаю, зачем?

— Я бросил эту бабу уже год назад, у нас был мимолетный роман, но она меня достала... Видно, решила отвадить тебя от меня. Дура, как будто я к ней вернусь... Господи, почему вы, бабы, все такие дуры... Кстати, кроме твоей матери. Вот умная женщина!

Лиля обмерла.

— Между прочим, я сегодня звонил ей.

— Зачем? — еле слышно прошептала Лиля, чувствуя, что вот-вот потеряет сознание.

— А ты не догадываешься?

— Нет...

— Просить твоей руки, идиотка! Я же люблю тебя, кретинка!

Он схватил ее за руку, притянул к себе, обнял.

— Лилька, ты что, всякой лабуде веришь? Я похож на брачного афериста, многоженца, коварного соблазнителя?

— Очень похож... Очень. И еще она сказала, что ты кого-то убил...

— Ясно. Пока, правда, никого, но, кажется, скоро убью.

— Кого? Беляева?

— С ума сошла? Стану я о такую пакость руки марать...

— А за что ты его побил?

— За наглость и хамство. Слышала бы ты, как он с Вовиной секретаршей разговаривал!

— С Нелли?

— Да. А когда я его одернул, он и мне кое-что сказал, ну и схлопотал.

— Вот Нелька, тихушница. Ринат, а какие у тебя неприятности?

— Да ерунда. Понимаешь, пока я тут тешился любовью и литературой, один из моих менеджеров тихонько увел у меня полтора миллиона евро.

— Ой!

— Лиль, во-первых, нам с тобой хватит и того, что осталось. Правда?

— Господи, да мне вообще ничего не надо... Я же работаю и вообще...

— Лилька, сокровище мое... Послушай меня. Послезавтра мы с тобой улетаем...

— Куда?

— В Италию. Я больше не хочу тебя отпускать, это опасно...

— Ринат, я не могу... А работа? А твоя книга?

— Это все чепуха. Черт с ней, с книгой! Не хочу я быть автором одной книги... Глупо. А на большее меня не хватит! И не хочу я, чтобы меня раскручивали, обсуждали, хвалили, ругали, завидовали, считали мои деньги, обсуждали мою женщину... Ну ее в баню, эту книгу!

— А ну, цыц! — не выдержала Лиля. — Так не будет. Книга твоя — бестселлер! Причем настоящий, без дураков! И она выйдет, и я доведу пиар-кампанию до конца! И не уеду, пока ярмарка не кончится. А не нравится, скатертью дорога!

— Цыц! Кто бы еще так со мной разговаривал! Слушай, какое заразное словечко! Но у тебя оно звучит так сексуально...

— И у тебя тоже...

— Знаешь, я тебя не только люблю, я тебя безмерно уважаю...

— Несмотря на вранье?

— Несмотря на вранье, Лилечка моя... Да, а почему твой муженек сказал, что у тебя в квартире притон?

Лиля рассказала ему все.

— Леонтович? Сашка? Обалдеть!

— Ты его знаешь?

— Прекрасно знаю, мы работали когда-то на нескольких картинах. Господи, что только вы, бабы, не придумаете... Но судя по времени, он там задержался...

— Хорошо бы. Милка чудный человек, настоящий друг, только ей не везло...

— А тебе?

— Мне, наверное, тоже... Но потом мне так повезло, так повезло... Я и не мечтала... — и слезы опять полились по ее лицу.

— А мне как повезло! Знаешь говорят, Бог любит Троицу? Тебе повезло, мне повезло, вот и Милке твоей повезет.

— А Леонтович? Он четвертый лишний?

— Нет! Просто мы с тобой уже одна сатана.

Литературно-художественное издание

Екатерина Николаевна Вильмонт

ЦЫЦ!

Ответственный редактор *И. Архарова*
Технический редактор *Т. Тимошина*
Корректор *И.Н. Мокина*
Компьютерная верстка *Н. Пуненковой*

ООО «Издательство АСТ»
141100, РФ, Московская обл., г. Щелково, ул. Заречная, д. 96

ООО «Издательство Астрель»
129085, г. Москва, пр-д Ольминского, д.3а

Вся информация о книгах и авторах
Идательской группы «АСТ» на сайте:
www.ast.ru

По вопросам оптовой покупки книг
Издательской группы «АСТ» обращаться по адресу:
г. Москва, Звездный бульвар, 21 (7 этаж)
Тел.: 615-01-01, 232-17-16

Заказ по почте:
123022, Москва, а/я 71, «Книга — почтой»,
или на сайте shop.avanta.ru

Отпечатано с готовых диапозитивов
в типографии ООО «Полиграфиздат»
144003, г. Электросталь, Московская область,
ул. Тевосяна, д. 25